# 風の名前

*Kaze no Namae*

高橋順子 文
佐藤秀明 写真

小学館

四季の風

# 春の風

四季の風

# 夏の風

四季の風

# 秋の風

四季の風

# 冬の風

# 季知らずの風

編集にあたっては基本的に太陽暦に従い、三月～五月を春、六月～八月を夏、九月～十一月を秋、十二月～二月までを冬として分類しました。但し、風の性格上多少のずれや、一部写真が例外の扱いとなっているところもあります。

## 花信風

「わたしがここにいたことは
わたしに触れた風が
伝えてくれるでしょう」
花はつめたい空のひかりにも
松ぼっくりにも　語りかけています
「わたしを吹く風は
しばらくわたしの香りを
袖にとどめているでしょう」
風の振袖《ふりそで》は
みごとな落花模様です
それきり花は口をつぐみました

四季の風

# 春の風

# 春の風

袖ひぢてむすびし水のこほれるを
春立つけふの風やとくらん

紀貫之

古今集の代表的な歌の一つである。山辺の清水を袖をぬらしてすくって飲んだことがあったが、その水も凍ったことだろう。今日は立春、春風が氷を解かしているだろうか、という待ち望んだ春にまためぐり合えた喜びをうたった歌である。

　雪国や北日本では、立春といっても、暦の上だけで、まだまだ風も冷たいのだが、もう少しの辛抱である。

ある日、「春一番」が吹く。日本海を強い低気圧が通って、それに強い南寄りの風が吹き込むのである。日差しも一挙に春めいてくる。

しかし油断は禁物。寒の戻りがある。このときは強い北風が吹くため、海上は大シケとなり、山岳地帯では吹雪とともに、融雪雪崩《なだれ》が発生することがある。

春の天候は変わりやすい。こうして南風と北風とが代わる代わる吹き荒れながら、次第に北風を駆逐していくのである。そして「春三番」のころ、平均気温が一〇度くらいになり、桜の花がひらく。

空は花曇り。風はそよそよ。外に出てみよ、と言っているように吹く。

## 油《あぶら》まじ

陰暦三月、春の土用の少し前ころから吹く南風のこと。東海道沿岸の言葉。高知県室戸《むろと》岬では、波も穏やかな昼間の弱い東風を「**あぶらまぜ**」という。

## 岩起《いわおこし》

広島県佐伯《さいき》郡で、二月ころに吹く西風のこと。鹿児島県肝属《きもつき》郡では、岩を起こすほどの強風をいう。強くはあるが、どこか春を感じさせる。

## 嬰児風《えいじふう》

東からの風。やわらかに和毛《にこげ》を吹く、生まれたてのような肌ざわりのよい風。

馬の仔の肌色淡く風青し　瀧 春一

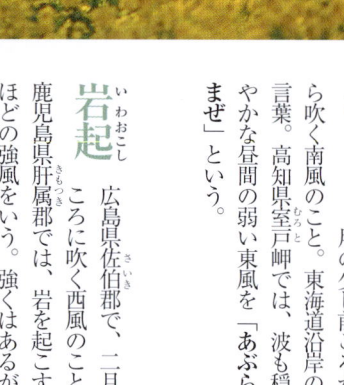

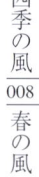

## 凱風《がいふう》

「凱」はやわらぐの意で、南から吹き寄せる暖かく、快い風のこと。

## 貝寄風《かいよせ》

**「貝寄《かいよせ》」**とも書く。大阪・四天王寺《してんのうじ》の聖霊会《しょうりょうえ》（陰暦二月二十二日だったが、現在は四月二十二日に行われる）に供える造花の材料である貝殻を、難波《なにわ》の浦に吹き寄せる風という。貝は竜神から聖徳太子への捧げものとされる。そのころに吹く強い西風のこと。春の季語。

徳島県鳴門《なると》市で**「彼岸の貝寄」**といえば、四月二十日ころに吹く風で、方向は問わない。**「けよせ」「けよせかぜ」**は、鹿児島県始良《あいら》郡で南西風、熊毛《くまげ》郡では**「けーよせのかぜ」**といって、方向によらない二、三月の季節風である。

貝寄風に乗りて帰郷の船迅《はや》し　中村草田男《くさたお》

**花信風《かしんふう》** 早春から初夏にかけて、花の季節到来を告げるように吹くやさしい風。

**花風《かふう》** 花が咲くころに吹く風で、「華風《かふう》」とも記す。転じて、美しい芸風のこと。能の大成者として知られる世阿弥《ぜあみ》の『世阿弥十六部集』は、「秘すれば花……」で有名な「花伝書」を含む能の伝書。芸の成果を「花」、そしてそれに至る様々な工夫と心構えを「風」にたとえて述べている。意味はさておいて拾ってみる。「閑花風《かんかふう》」「正花風《しょうかふう》」「横精風《おうしょうふう》」「強《ごう》細風《さいふう》」「妙花風《みょうかふう》」「達風《たっぷう》」「是風《ぜふう》」「非風《ひふう》」「皮風《ひふう》」「骨風《こつふう》」「肉風《にくふう》」と挙げればきりがない。舞い終えれば消える芸能の宿命が吹き過ぎる風と通じる、ということか。能の創成期の混沌《こんとん》の中、一座建立に賭けた世阿弥の執念が伝わってくる。

**和風《かふう》** 「か」は「和」の漢音。のどかに吹く風。転じて、能楽において、角のとれた芸風。「わふう」は三二頁参照。

**協風《きょうふう》** 穏やかな風。反意語は烈《はげ》しい風の「厳風《げんぷう》」。

**黒北風《くろぎた》** 京都府中《なか》郡で、黒雲におおわれているときに吹く北西風。「くろきた」は、舞鶴《まいづる》市あたりで、早春の北風をいう。

**軽風《けいふう》** かろやかに吹く風。そよ風、微風のこと。気象上の「風力階級」2の名称で、風速一・六〜三・三メートルの風を指す。顔に風を感じ、木の葉が揺れる程度。

# 小さな花吹雪

満開の桜もいいが、散りいそいでいる桜も好まれるのは、この国の人と生まれて、知らずにつちかってきた心のしくみや、美意識のなせるわざだろうか。

第二次大戦中に、桜の花のようにいさぎよく散ってゆくのが大和心だと植え込まれ、死んでいった兵士を友にもつ人などは、しかしながら花見をいとう。とりわけ散ってゆく花を見るのは苦痛だそうである。

友人たちと毎年私は花見に行くが、仲間の一人が土に還《かえ》った。その人の不在をもっとも鋭く意識させられるのは、桜の花の下である。

私もまた心に陰りをもって、花に向かうのである。時折り風が吹いて、手にした紙コップの酒の中に花びらが舞い込むこと

がある。すると、生きている、と思う。生かされていると思う。
　表通りから一本裏の通りを歩くと、どこにも桜の木は見えないのに、道の両側に花びらが吹き寄せられていることがある。高い塀をめぐらした家の中で、ひそかに桜の花が闌《た》けて、花びらが空に巻き上がったものと見える。
　子どもたちが手ですくって、もう一度花吹雪を見せてくれている。私もひとすくいポケットに入れ、一人の部屋の中で舞わせたりして。

**光風《こうふう》** うららかな春日和に気持よく吹き寄せる風。あるいは雨上がりのきらきらした日差しを浴びて吹く風。草花の「うまごやし」の異名としても使われる。

草野心平の詩「作品第肆《し》」には、「少女たちはうまごやしの花を摘んでは巧みな手さばきで花環《はなわ》をつくる。それをなはにして縄跳びをする。花環が円を描くとそのなかに富士がはひる。」とある。まさに「光風」の吹いている風景である。野にも山にも、花環の中にも。

**穀風《こくふう》** 植物を生長させる風のこと。東の風。「谷風《こくふう》」とも書く。

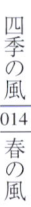

**東風《こち》** 東からの風、とくに春の東風を指すことが多い。**「こちかぜ」「こちの風《かぜ》」「こち吹《ふ》く風《かぜ》」「ひがしかぜ」**とも。その土地の地形や気象的特徴、地名、あるいは季節感のある言葉などをきめ細かく添えた呼び方が数多くある。春の季語。

東風吹くや耳あらはるゝうなゐ髪　杉田久女《ひさじょ》

**朝東風《あさごち》**
朝の東風。

**雨東風《あめこち》**
広島県佐伯郡で、雨をともなう東風。秋に多い。

**荒東風《あらこち》**
強風の東風。

**いなだ東風《ごち》**
三重県志摩などで、いなだ漁のころに吹く東風。

**梅東風《うめごち》**
岡山県で梅の花を咲かせる東風。

**北東風《きたこち》**
**「きたごち」**ともいう。北寄りの東風。地方によっては秋冬の不漁をもたらす風をいうところもある。

**弘法東風《こうぼうごち》**
山口県長門《ながと》市で、四月二十一日、船祭りのころに吹く雨まじりの強風。

**桜東風《さくらごち》**
岡山県で三月ころ、桜の咲く前に吹く。

**鮭東風《さけごち》**
鮭の漁期に吹く。

**鰆東風《さわらごち》**
四、五月、岡山県で鰆漁のころに吹く風をいう。

**椿東風《つばきごち》**
椿の花を咲かせる東風。

**強東風《つよごち》**
強い東風。

**雲雀東風《ひばりごち》**
雲雀の鳴くころの東風。広島県佐伯郡では**「へばりごち」**ともいった。**「へばるごち」**という地方も。

**正東風《まごち》**
真東の風。北茨城《きたいばらき》市では晩夏から初秋の風で、カツオの大漁となる。

**夕東風《ゆうごち》**
**「ゆうこち」**とも。夕方の東風。

夕東風《ゆふこち》や海の船ゐる隅田川　水原秋桜子

## 東風《こち》返《のかえ》し

「東風の返しの風」の略で、東風の後、そのお返しのように吹いてくる西風。

## 鹿《しか》の角《つの》落《お》とし

晴れた日中に吹く南西風のことで、山口県柳井《やない》市あたりでつかわれた言葉。鹿の角は四月ごろに落ち、初夏にまた新しく生え替わる。その鹿の角を吹き落とすほどの強風。「落し角」「忘れ角」は季語。

角落ち気の衰へや鹿の顔　石井露月《ろげつ》

## したけ

群馬県館林《たてばやし》市あたりで、春風のことをいった。

神奈川あたりでは、夏の弱い風を「したつけ」と呼ぶ。強い場合は「おおみなみ」。

## 春飆《しゅんぴょう》

春のつむじ風。振り仮名なしでは読めない難しい名前だが、象形文字のありがたさ、三《み》つ巴《どもえ》の犬が風となって踊るさまが目に浮かぶ。

**節《せつ》の西風《にしかぜ》**　苗代から田植えのころに吹く西からの風で、雨をともなうことが多い。

女らも苗代寒の頬《ほお》かむり　熊谷伊佐緒



**吹花擘柳《すいかはくりゅう》**　花をそっと吹き開かせ、また柳の芽を割き分けるようにそよぐ春の風。

**風無草《かざなぐさ》**　柳の異名。風も吹かぬに、たおやかに枝垂れ揺らぐように見える風情からの命名か。近松門左衛門の浄瑠璃『堀川波鼓《ほりかわなみのつづみ》』に、人妻との姦通《かんつう》の果てに妻敵《めがたき》として討たれる鼓師が、いまわの際に柳の一筋に縋《すが》って息絶える、という心憎い演出もある。

**清風《せいふう》**　草原や水面を吹き渡る春の風。草の青も水の色もまだ淡く、風の色もまた……。

**清明風《せいめいふう》**　春分の後に吹くすがすがしい南東の風。「薫風《くんぷう》」と同意。

# 風の巻く音

船《ふな》形《がた》連峰にまだ雪が残っているころ、宮城県中新田《なかにいだ》町の当時公民館館長をしていられた福原實さん、奥さんの貴子さんたちが隣の小野田町の荒沢に水《みず》芭蕉《ばしょう》を見に連れていってくださった。

薬莱山《やくらいさん》の麓《ふもと》にある湿地で、そこに雪解け水が流れ込んで、日にきらきらと輝いている。葉っぱの祠《ほこら》の中に白い花の観音さまがいられるようだ。それが幾株も澄んだ水に映っているのは、

いかにも浄土の眺めである。

「でも葉っぱがずいぶん大きいわね、野菜みたい」

つい口をすべらせると、館長さんが「肥料でもやったべっちゃ」などと言っている。冗談だろうけれど。

ようやく芽吹きはじめた木々

の先端をたわめながら、風が巻いている。息切れした口笛のような風の音を久しぶりに聞いた。子どものころにはよく聞こえていた音だったが。

「風巻」と書いて「しまき」と読む。「し」は古語で風の意味。「雪しまき」といえば、冬の季語である。雪に強い風が吹き添うこと。

館長さんは時々渓流釣りに出かけられる。山深く分け入って風の巻く音を一人聞いていると、怖くなって、「ワーッ」と叫んでしまうそうだ。

出来たての風が欲しくて　　白扇子

館長さんは家居《いえい》にあってはこういう句を作る人である。

## 暖風《だんぷう》

暖かい風のことで、「**煖風**《だんぷう》」とも書く。

## 風信子《ひやしんす》

ギリシャ神話で知られる早春の花ヒヤシンスが日本に伝えられたのは、文久三年（一八六三年）という。明治のころ、この花はハヤシンスと呼ばれ、「風信子」の字を当てる人もいたが、これは一説に中国伝来の名前である。

## 東尋坊《とうじんぼう》

旧暦四月、八十八夜ころの西寄りの暴風。東尋坊は福井県三国《みくに》港北方にある断崖《だんがい》である。昔、平泉寺《へいせんじ》にいた東尋坊という名の怪力の悪僧が、同僚にここで欺き殺された。その怨霊《おんりょう》の祟《たた》りの風だといって、人びとは恐れをなし、断崖と風とを彼の名で呼ぶようになったという伝説がある。「**唐人坊**《とうじんぼう》」「**唐神坊**《とうじんぼう》」「**東漸暴**《とうじんぼう》」とも書かれ、西日本各地に吹き荒れる。

## 不通坊《とおせんぼう》

両手をひろげて人の通行をはばむ遊びが「通せん坊」だが、風の「不通坊」も人の行く手をはばみ、不利益をもたらす風のようである。福岡県遠賀《おんが》郡では春から夏に吹く強い北風をいい、ワカメの根株をさらって、浜に漂着させる。この風は「**めがぶおとし**」ともいう。高知県幡多《はた》郡では、麦の収穫を前に吹き荒れる西風をいう。

## 菜種梅雨《なたねづゆ》

ふつうには菜の花が咲くころに降りつづく長雨をいうが、鳥羽《とば》や伊豆の漁師の言葉では、陰暦の三、四月ころに吹く東南からの強風をもいう。

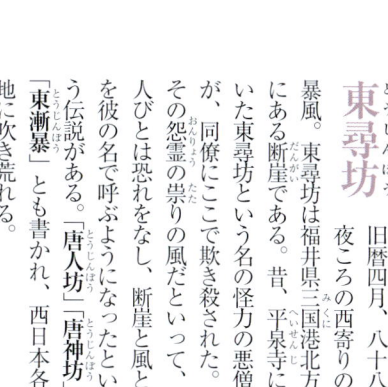

## 二《に》十《じゅう》四《し》番《ばん》花《か》信《しん》風《ふう》

小寒（一月五、六日ころ）から穀雨（四月二十一日ころ）に至る八つの節気をさらに三つに分け、それぞれの時期に合わせて咲く花の便りをもたらす中国伝来の風。それぞれに風も新しく変わるのである。

| 節気 | 一候 | 二候 | 三候 |
|---|---|---|---|
| 小《しょう》寒《かん》 | 梅《ばい》花《か》 | 山《さん》茶《さ》 | 水《すい》仙《せん》 |
| 大《だい》寒《かん》 | 瑞《ずい》香《こう》 | 蘭《らん》花《か》 | 山《さん》礬《ばん》 |
| 立《りっ》春《しゅん》 | 迎《げい》春《しゅん》 | 桜《おう》桃《とう》 | 望《ぼう》春《しゅん》 |
| 雨《う》水《すい》 | 菜《さい》花《か》 | 杏《きょう》花《か》 | 李《り》花《か》 |
| 啓《けい》蟄《ちつ》 | 桃《とう》花《か》 | 棣《てい》棠《とう》 | 薔《そう》薇《び》 |
| 春《しゅん》分《ぶん》 | 海《かい》棠《どう》 | 梨《り》花《か》 | 木《もく》蘭《らん》 |
| 清《せい》明《めい》 | 桐《とう》花《か》 | 麦《ばく》花《か》 | 柳《りゅう》花《か》 |
| 穀《こく》雨《う》 | 牡《ぼ》丹《たん》 | 酴《ど》醿《び》 | 楝《れん》花《か》 |

「山茶《さんさ》」は椿《つばき》、「瑞香《ずいこう》」「山礬《さんばん》」は沈丁花《じんちょうげ》、「迎春」は黄梅《おうばい》、「桜桃」は、ゆすら、「望春」は辛夷《こぶし》、「杏花」は、からもの花、「棣棠《ていとう》」は山吹《やまぶき》、「木蘭」は木蓮《もくれん》という説がある。「酴醿《どび》」は山吹の異名らしいという。
「二十四番風《にじゅうしばんのかぜ》」とも称される。

# 微風のマリー

コチンコチンになった心をほぐしてくれる詩人がいた。「ぼくは頑張りません」と言っていた。私は頑張る人も好きだけれど、頑張らない、と頑張る人も好きなのである。

辻征夫《ゆきお》。彼に「風の名前」（詩集『萌えいづる若葉に対峙して』所収）という詩がある。詩人が窓辺に行くと、「風のやつ」が頬《ほお》に触れてくる。

（お部屋の中を
通っていい？）

（いいよ）
行儀のいい風である。詩人に許しをもらったので、風がぞろぞろ、ではない、そろそろっと入ってくる。
手をさしのべているのは
風の肉体にさわっているんだ

詩人は風と握手したのかしら。肉体をもつ風に、詩人は名前を付けた。

微風のマリー
隙間風のジューン
ミセス秋風

辻征夫邸にはなかなか色っぽい風が訪れていたと見える。

（マタサブロウは
どうしている？）
（知らないわ）

いかにも風らしい返事である。風の便りとはいうけれど、マリーもジューンも、噂《うわさ》を聞いても、東から西に流してしまったんだろう。

辻征夫という名の風がこのあいだまで地上に吹いていた。二〇〇〇年一月十四日まで。

## 涅槃西風《ねはんにし》

「ねはんにしかぜ」とも呼ぶ。釈迦《しゃか》入滅の日である陰暦二月十五日の涅槃会《ねはんえ》前後に吹くやわらかな西風のこと。西方《さいほう》浄土から吹いてくると信じられている。「涅槃吹《ねはんぶき》」「彼岸西《ひがんにし》」とも。強風のときは「涅槃風《ねはんあらし》」「涅槃荒《ねはんあ》れ」などという。春の季語。

涅槃西並びて遊女漁夫の墓　茗児

## 霾風《ばいふう》

中国北部やモンゴルの黄土地帯で舞い上げられた土や砂ぼこりを降らせながら吹く大風で、周囲を暗くすることが多く、「土風《つちかぜ》」「土ぐもり」の異称をもつ。春の季語に「霾《つちふる》」がある。

つちふるや
日輪たしか黄に変じ　素逝

## 梅風《ばいふう》

梅の花の香りを吹き運んでくるような風。梅は古来、気品ある清雅な花として親しまれ、「風待草《かぜまちぐさ》」「匂草《においぐさ》」など多くの異称がある。その中に「花の兄」とあるのは、春にさきがけて開く花の総領への尊称か。

梅ひらく
羅宇屋《らおや》の笛の二タ音色　秋元不死男

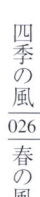

### 花風《はなかぜ》

三、四月ころ、咲いた桜の花を吹き散らしてしまう風のことで「**花《はな》の風《かぜ》**」とも。

### 風に散る花

平安時代の書『宇《う》治拾遺《じじゅうい》物語』に、比叡山《ひえいざん》に上った田舎の子供が桜の花の散るを見てさめざめと泣くという話がある。僧が「童《わらわ》ながらにものの哀れを知るものよ」と感じて問えば、童なおもしゃくりあげて「この風で父ちゃんの麦の花が散るじゃろ、実が入らんのが悲しかばってん」。

### 花《はな》の下風《したかぜ》

花が咲いている木の下を吹き過ぎる風。初春に吹く。ここでいう花とは桜。

### 花《はな》の風巻《しまき》

風で散る花を飛《ひ》沫《まつ》にたとえた古語。風の後は「落花狼藉《ろうぜき》」、一夜にして満地雪の如し。

この春はどうやら花の静なる　利牛《りぎゅう》

### 花吹雪《はなふぶき》

桜の花びらが風で乱れ散るのを吹雪にたとえた言葉。

空をゆく一かたまりの花吹雪　高野素十《すじゅう》

### 春嵐《はるあらし》

二月から三月にかけて低気圧が日本海を北上するときに吹く春の季節風で、砂ぼこりを巻き上げ、終日烈しく吹くこともある。「**春疾風《はるはやて》**」「**春疾風《はるはやち》**」「**春荒《はるあれ》**」「**春荒《しゅんこう》**」などと同意。

大空や地も工みけり春あらし　加舎白雄《かやしらお》

## 春一番《はるいちばん》

春になって初めて吹く強い南風で、日本海を低気圧が通過するのにともなって吹く。つづく同様の風を「春二番」「春三番」「春四番」ともいう。春の季語。

雀らも春一番にのりて迅《はや》し　皆吉爽雨《そうう》

## 春風《はるかぜ》

春の東や南からの風で、穏やかな軟風。春の季語。「春風駘蕩《しゅんぷうたいとう》」というように、のどかなさまであるが、長くはつづかず二、三日で止《や》むことが多い。

春風や堤長うして家遠し　与謝蕪村

春風や闘志いだきて丘に立つ　高浜虚子

## 花衣《はなごろも》

その昔は表が白・裏が蘇枋《すおう》（紫がかった赤）の襲《かさね》の色目と決まっていた。現在では花見に着てゆく女性用の晴れ着。しかし、もう少し想像のフレームをひろげて、ジーンズで花の下を通りかかったら藍の海に花吹雪、これもすてきな花衣。散る花にはそんなイメージの自在さがある。「花衣」は春の季語。

旅衣花衣ともなりながら　星野立子

## 春北風《はるきた》

「はるならい」とも読む。春吹く冷たい北風のこと。春の季語。

春北風白嶽の陽を吹きゆがむ　飯田蛇笏《だこつ》

## 春疾風《はるはやて》

「**はるはやち**」とも。砂塵を巻き上げながら急に烈しく吹き起こる風のこと。「**春嵐**」。「**春荒**」。春の季語。

春疾風屍《かばね》は敢《あえ》て出でゆくも　石田波郷《はきょう》

## 微風《びふう》

微《かす》かに吹いている春の風。そよ風。

## 比良八荒《ひらはっこう》

菅原道真《みちざね》の命日である陰暦二月二十四日から四日間、琵琶湖《びわこ》西岸の白髭《しらひげ》神社で行われた法会、「比良の八講《はっこう》」のころに比良山から吹き下りる寒い強風のこと。「**比良《ひら》の八講荒《はっこうあ》れ**」ともいわれている。

**風炎**《ふうえん》 ドイツ語Föhn《フェーン》への当て字で、山から吹き下りてくる乾燥した暖かい風のこと。この現象は日本海側の地域で見られ、雪崩や出水を引き起こすこともある。

春から秋に見られ、石川県小松市では「**ぼんぼかぜ**」といった。輪島市の「**ぼんぼろかぜ**」も、リウマチの人や頭痛を持病にもつ人には疎まれる風なので、フェーン現象にともなう風だろう。

**雪解風**《ゆきげかぜ》 雪解けころの風、春先の暖かい風のこと。

**陽風**《ようふう》 明るい春の東風、または南風のこと。陰気な冬の風である「陰風《いんぷう》」はその対語。

**和風**《わふう》 やわらかくやさしい風のことで、一般に春の風をいう。気象上の「風力階級」4の風であり、風速五・五〜七・九メートルで、砂ぼこりが立ち、木々の小枝が動く程度。

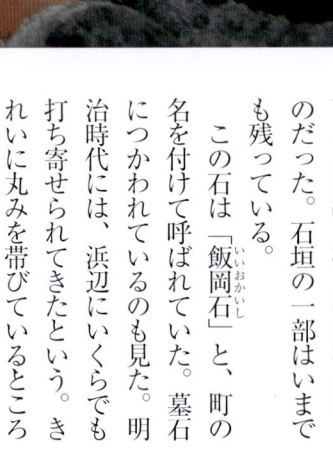

# 白い屋根の家

海沿いの古い町並みの特徴は、どの家も軒が低いということである。潮風を避けて身をかがませているかのようである。屋根の勾配《こうばい》も急ではない。

私が子どものころ、九十九里浜の海辺には、屋根一面に平べったい白い石をのせた家が何軒かあった。杉皮で葺《ふ》いた上に石を並べた簡単なものだったが、瓦《かわら》よりも実情に即していた。つまり強風をしのぐための屋根の

「しずめ石」。塀も石を積んだものだった。石垣の一部はいまでも残っている。

この石は「飯岡石《いいおかいし》」と、町の名を付けて呼ばれていた。墓石につかわれているのも見た。明治時代には、浜辺にいくらでも打ち寄せられてきたという。きれいに丸みを帯びているところ

から、長い間、波にもまれてきたものであることが分かる。
　一方、東の銚子《ちょうし》の利根川《とねがわ》河口あたりの家は、古くはカキの殻で屋根を葺いていたという。赤松宗旦《そうたん》の『利根川図志』に「家居ども見わたすに、時しらぬ雪のふりつみたるここちするは、皆蠣《かき》の貝もてふけるなり」とある。白い屋根の家が並んでいたわけである。
　大風が吹き荒れた朝、浜辺を歩くと、流木、藻屑《もくず》、貝殻、死んだ魚などが波のかたち、つまり扇のかたちに散らばっている。カベトという緑の粘土質の石もあるが、もう「飯岡石」は打ち上げられて来ない。

# 鳥のように

青い平野の中を通っていったら
田んぼに降りていた白い鳥が
そろって西方を見ていた
電車で通ったので
鳥の見ているものを
振り向いて見ることができなかったが
多分西風が吹いていたのだろう

振り向くと
いま見ている世界の延長でなくなる
そんな気持がして
別れたあと振り向けないことがある
鳥のように風を見ている人の目に
出会いはしないかと

四季の風

# 夏の風

# 夏の風

## 白南風の夕浪高うなりにけり

芥川龍之介



五月五日の端午の節句は、新暦では立夏の前になるが、古い習わしであり、また月遅れで行う地方もあることから、歳時記では夏に組み入れられている。皐月《さつき》晴れと新緑の中、鯉のぼりを空に泳がせるのは、風の仕事だが、同時に喜びであるにちがいない。

快適な季節の後は梅雨である。このころの特徴的な風は、南からの湿った風である。また北の海からの冷たい北東風である

「やませ」が吹くこともある。

　梅雨の初め、どんよりとした黒雲の下に吹く南風は「黒南風《くろはえ》」といい、中ごろに吹く荒い南風を「荒南風《あらはえ》」、梅雨が明けて、巻雲《けんうん》や巻層雲《けんそううん》が空に白く浮くころ、そよ吹く南風を「白南風《しらはえ》」と呼ぶ。いずれも歳時記に採用されている美しい風の名前である。

　白南風の吹く海は暮れ方になっても、まだ明るい。夜になると、海風に代わって陸風が吹きだすが、瀬戸内海地方ではその間、凪《なぎ》が訪れる。まったく無風になることもある。

　さて盛夏の到来である。風の途絶えたむし暑さは、都市部においては我慢できるものではなく、クーラーに頼りがちだが、排気口から出る熱風もさらに気温を上げる要因の一つである。嗚呼《ああ》。

## あいの風《かぜ》

日本海沿岸各地で、東から吹くほどよい風をいう。文献的にはもっとも古い風の名前で、『万葉集』に、大伴家持《おおとものやかもち》の次の歌がある。

東《あゆ》の風いたく吹くらし
奈呉《なご》の海士《あま》の釣りする小舟《をぶね》
漕ぎかくるみゆ

越中国《えっちゅう》(富山県)では東風を「あゆの風」というと註記《ちゅうき》されている。しかし富山県内部でも、この風は必ずしも東風ではなく、北ないし北東・北西風である(柳田國男『風位考』)。

北海道・青森県・石川県では冬の北寄りの風をいう。江戸時代、北国からの廻船《かいせん》である北前船《きたまえぶね》にとっては、上方《かみがた》への順風として大いに歓迎された。この風は魚介類をも寄せ来るところから「**饗《あえ》の風《かぜ》**」とも呼ばれる。夏の季語。

能登人があい吹くといふ
日和かな
村山古郷《こきょう》

## 地《じ》あゆ

地つまり内陸のほうに寄った北東の風。

## 土用《どよう》あい

土用中の北風。

## 一《ひと》つあゆ

一つとは子《ね》の方角、つまり真北から吹く風。

## まあゆ

東寄りに吹く北風。

## 青嵐《あおあらし》

「**青嵐《せいらん》**」の訓読。初夏の青葉をひるがえし、吹き渡る快い風。夏の季語。

濃き墨のかはきやすさよ青嵐
橋本多佳子

## 青東風《あおこち》

初夏、青葉の間を吹き抜ける東の風。また、夏の土用の青空に吹く東風のこと。「**土用東風《どようこち》**」ともいう。夏の季語。

土用東風
八つ手は黒き実をこぼす
高橋淡路女

## 青田風《あおたかぜ》

田の水が隠れるほどに苗が生長し、青々となった田圃《たんぼ》の上を吹き渡る風のこと。

堤より田の青やぎていさぎよき　凡兆《ぼんちょう》

加茂のやしろは能き社なり　芭蕉《ばしょう》

## いなさ

海から吹いてくる南東の風で、とくに台風にともなう強風をいうことが多い。おもに関東地方で聞かれる言葉。この風が上州・越後《えちご》の境の山に吹きつけ、降り積もっていた雪をとかすので、利根川《とねがわ》が氾濫《はんらん》するのだと伝えられた。

辰已（南東）の方角から吹くので**「辰巳風《たつみかぜ》」「巽風《たつみかぜ》」**ともいい、ともに夏の季語になっている。

福島・茨城・千葉の海岸地方には「春のいなさは鉄《くろがね》を通す」という諺《ことわざ》があり、春の寒い風をもいった。

**炎飆《えんぴょう》** 夏の熱い強風。夏になると三《み》つ巴《どもえ》の犬たちは、炎帝（太陽）の使者となって炎と化すか。夏の暑い旋風を「朱飆《しゅひょう》」ともいう。

**炎風《えんぷう》** 日照りで熱くなって吹く風。まさに炎の如し。「熱風《ねっぷう》」「乾風《かんぷう》」の同意語。

**大南風《おおみなみ》** 烈《はげ》しく吹く夏の南風。太鼓にたとえるなら大太鼓の乱れ打ち。

**風音《かざおと》** 歌舞伎下座《げざ》音楽の一つで大太鼓を小刻みに打つ。下座は舞台下手の黒塀に囲まれた一角で黒御《くろみ》簾《す》とも呼ばれ、芝居の効果音のすべてを掌《つかさど》るいわば擬自然の宝庫。風、嵐、雨、雪、川波などを大太鼓一つで打ち分ける。

**おしあな** 「おっしゃな」ともいう。「あな」は西日本一帯で北西季節風をいう「あなじ」「あなぜ」の略で、「おし」は北西風の押し返しの意であるとされる。つまり南東の強風のこと。夏台風の多くはこの風である。

# 海風のおくりもの

名も知らぬ遠き島より
流れ寄る椰子《やし》の実一つ
と始まる島崎藤村の詩「椰子の実」の歌をおぼえていられる方は多いだろう。

　この椰子の実を実際に見たのは民俗学者の柳田國男である。それを知友の藤村に語ったことが、名詩の誕生につながった。

そのことが柳田の著作『海上の道』に書かれている（柳田もじつは詩人として出発したのだったが……）。

　同書によれば、明治三十年の夏、柳田は三河の伊良湖崎《いらござき》の突端で椰子の実が流れ寄っていたのを、三度まで見たそうだ。

　これがいわゆるアイの風によるものだという。「海岸に向つてまともに吹いて来る風、即ち数々の渡海の船を安らかに港入りさせ、又はくさ〲の珍らかなる物を、渚《なぎさ》に向つて吹き寄せる風のことであつた。」と記し、「饗宴《きょうえん》もしくは食物の供与を、アへと謂《い》つて居たのも別の語では無いのかもしれぬ。」としている。

　私の古里の九十九里浜には、アイの風という言葉はない。し

かしさまざまの海風のおくりものを私は記憶している。

地元では「打ち寄せられた」などとはいわない、「寄った」という。巨大な海草、流木、素敵な巻き貝、壊れた人形、ランプのホヤ、そして鯨も、寄った。

砂浜に打ち上げられた鯨を最初に見つけたのは、朝の散歩が日課だったおばあさんだった。そのころは日本人が鯨を食べることを、どこの国も咎めだてしなかった。鯨がまだ北の海にたくさんいたのだろう。

鯨一頭の半分の権利は発見者のおばあさんが有し、残り半分は、さばき料というのか町の魚屋のものになった。母が味噌漬けにし、焼いて食べさせてくれた味をいまに忘れない。

**温風**《おんぷう》　もともとは中国で晩夏に吹く温かい風をいった。今は空調設備や乾燥機の人工的な風である。

**海軟風**《かいなんぷう》　肌に心地よい風で、「海風《かいふう》」と同意語。反意語は「陸軟風《りくなんぷう》」。

**荷風**《かふう》　蓮《はす》の上を吹き渡る風のこと。蓮の新葉は初め水面に浮く。これが蓮の浮葉、中国ではその形容から銭荷と呼ぶ。茎が成長すると傘をさしたような蓮田の景色となる。

蓮の葉や水を離れんとして
今日も暮る　村上鬼城《きじょう》

**神立**《かんだち》　雷のこと。静岡県田方《たがた》郡で、雷をともなう夏の疾風をいった。

**乾風**《かんぷう》　さらっと乾いた夏の風。「あなし」と読んで、乾《いぬい》の方角、つまり北西から吹く風をいうこともある。

**下り**《くだ》　日本海側、とくに北陸以北でいう南寄りの夏風。快晴の日に吹く。江戸時代、上方から北海道へ下る松前船にとって順風となる南の季節風のことをいった。反対の風が「あい」「あいの風」であり、「あい」と「下り」は対の風であった。

# 団扇と扇子

電気仕掛けの風よりは自然の風のほうがいい。そうはいってもかなわなければ、団扇《うちわ》や扇子で起こす風も心地よい。

さて、団扇と扇子、どっちに軍配を上げるか。天狗《てんぐ》はなぜ扇子でなくて、団扇をもっているのか。妙なことが気になった。

あれは風を起こして飛翔するためなので、大風を必要とする。それで団扇か、とも思ったが、以前中国旅行の折り、大扇子を見た。水墨画が描かれており、広げて床の間にでも飾っておきたいようだ。かなり強風が出せそうだが、携帯には不便だろう。

なんて冬の扇のように、役立たずのことを考えたが、江戸時代に、団扇を賛美した人がいる。横井也有《やゆう》である。

題して「奈良団賛《ならうちわのさん》」。奈良は柿の産地なので、渋団扇《しぶうちわ》が名産だった。

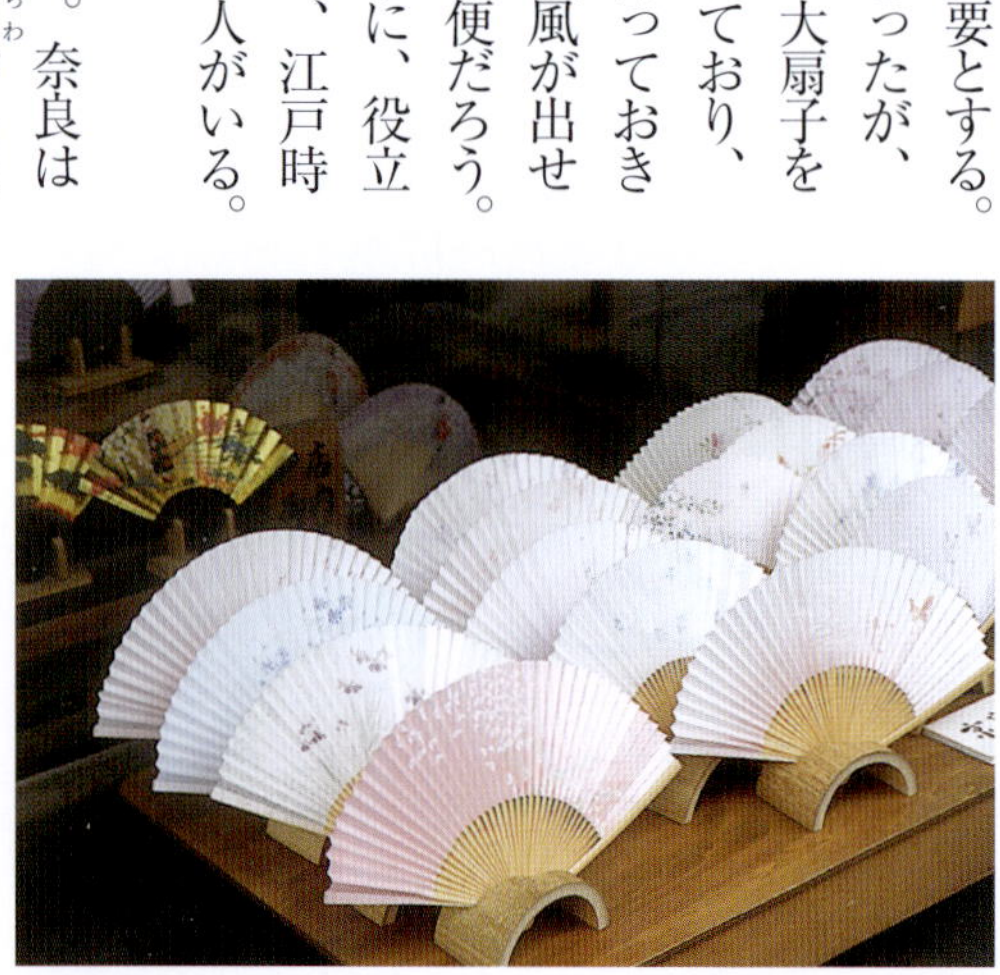

「かれよ、かしこくも風を生ずるの外は、たえて無能にして、一曲一《ひと》かなでの間にもあはざれば、腰にたゝまれて公界《くがい》にへつらふねぢけ心もなし。只《ただ》木の端と思ひすてたる雲水《うんすい》の生涯ならむ。」

扇子のようにそれでもって舞

を舞ったり、うなったりの用には立たないがゆえに、世間に媚《こ》びぬ、行脚《あんぎゃ》の僧を思わせる、とえらい褒めようである。

秋風がたっても、渋団扇には来年またね、などという未練たらしさはない。そのへんも隠棲《いんせい》の俳人の心にかなったようである。

このごろ商店の景品でくれる団扇や、街で宣伝のために配っている団扇の骨はプラスチック製である。竹で出来たものはけっこう値が張るので仕方がない。それでもまるいかたちのボール紙に、親指を通す穴があいているだけの新製品よりはましとするか。

いつも扇子をバッグにしのばせていれば、意にそまぬものには手を出さなくてもいいのだけれど。

## 薫風《くんぷう》

若葉の間を吹き抜けて、初夏の香りを運ぶ南風。「薫風」は漢語だが、のちに「風かをる」と和語で用いられるようになり、ともに夏の季語となった。「南薫《なんくん》」ともいう。

薫風や恨みなき身の夏ごろも　与謝蕪村

## 景風《けいふう》

晩春から初夏にかけて吹く南風のこと。

## 黄雀風《こうじゃくふう》

陰暦五月に吹く南東の風。中国の伝説では、この風の吹くころ、海の魚が地上の黄雀になるといわれた。同じ時季に降る雨を「黄雀雨《こうじゃくう》」という。

人妻は髪に珊瑚《さんご》や黄雀風　三橋鷹女《みつはしたかじょ》

## 御祭風《ごさい》

「ごさいかぜ」とも呼ぶ。御祭は陰暦六月十六、十七日の伊勢神宮祭礼のことで、このころに一週間ぐらい吹きつづける北東の風をいう。夏の季語。

小枕に仮り寝のさむき御祭風かな　飯田蛇笏《だこつ》

## 湿風《しっぷう》

夏の湿った風。

## 下総東風《しもさごち》

千葉県館山《たてやま》市で五、六月、ガスのかかったときに吹く東北東の風。

# 極楽の余り風

「書写の摩尼殿《まにでん》行ってきな、極楽の余り風が吹いとんがな」

連れ合いは少年時代、暑いさなかに家でごろごろしていると、こう母親に言われたそうだ。

「書写」とは書写山円教寺《しょしゃざんえんぎょうじ》。性《しょう》空《くう》上人が平安時代に播州《ばんしゅう》に創建した天台宗の古刹《こさつ》で、西の比叡《ひえい》山《ざん》ともいわれる。かつては一合目に女人堂《にょにんどう》があり、女性の参拝はそこまでしか許されなかったという。摩尼殿ははるか上である。女性は極楽風のお余りにもあずかれなかったのだ。

姫路市北西部、標高三七一メートルの書写山にはロープウェイが通っていて、いまは老若男女誰《だれ》でも参拝することができる。羽柴秀吉が中国に進攻するため、山内に陣を構えたというほどの広大な寺域をもつ。

絶巓《ぜってん》に張り出した摩尼殿の濡れ縁に座ると、目に入るものは丈高い杉と檜《ひのき》の老樹と空のみである。こんな雄大な涼み台はない。

廊下を一まわりすると、「眠《みん》蔵《ぞう》」と札の出ている空部屋がある。古文書などを「眠らせ、蔵《しま》う」ところ、つまり納戸に当たるところらしい。連れ合いときたら、眠気をさそわれたらしく、部屋の前の廊下で大胆不敵な昼寝である。私は中庭のトンボの群れをずっと見ていた。

極楽の余り風が吹き抜ける建物を私はもう一つ知っている。安芸《あき》の宮島の大経堂・千畳閣である。これも秀吉によって着工されたものだが、その死によって中断され、いまなお未完成であるという。

## 菖蒲東風《しょうぶごち》

五月ころ、菖蒲の花の咲くころに吹く東風。

## 新樹風《しんじゅふう》

新しい若葉が萌《も》えでた木々を吹く風。

## 涼風《すずかぜ》

「りょうふう」と読めば漢詩風。晩夏に吹く心地よい風。ひそやかに秋の訪れを告げる。

## 筍梅雨《たけのこづゆ》

筍が出るころに降りつづく長雨をいうが、もともとはそのころに吹く東南の風で、伊勢や伊豆地方の船乗りの言葉だった。

## 筍流し《たけのこながし》

筍が出るころに吹く南風。「流し」とは雨をともなう夏の南風のこと。

## 花の風車

沖縄の島々を吹く風は陽気で野太く、底抜けに温かく、そしてどこか悲しげだ。琉球王国の矜《きょう》持《じ》と誇りとを深く秘めながら、幾たびかの過酷な試練をくぐり抜けた神々の顔を見るようだ。

沖縄では数え年九十七歳の長寿の祝いを「カジマヤー」という。カジマヤーとは風車、つまり生まれてから風車のようにくるくる回って生きた、その証。

その功をたたえ、ねぎらい、そして神のごときその霊力にあや

かるという祭りでもある。
かつてはアダンの葉を十字に組んだ風車で祝ったが、今では色とりどりのプラスチックの風車でオープンカーを飾り、子や孫、近隣総出で練り歩く。風車を吹く風は人々の顔を吹き、鮮やかな喜びの色に染め上げ、そして海の彼方の黄泉《よみ》の国に至る。この島では死は再生、喜びの歌なのである。

花ぬ風車《カジマヤー》や
風《かじ》ちりてぃみぐる
ちんとぅんてんとぅん
まんちんたん
うねたり主《す》ぬ前《め》ー
う目《み》かきれー

花の風車は、いつも風と一緒にくるくる回る。見ている私もつられて口三線《くちさんしん》。そんなふうに私に目をかけてくださいね、いつまでも……。一棹《ひとさお》の三線があれば、誰かが歌いだし、誰かが踊りだす。島の風は潮の香をのせて吹く。

## 茅花《つばな》流《なが》し

「茅花」はチガヤの花穂のこと。イネ科の多年草で、春の植物。穂がほぐれる五、六月ころに吹く南風が「茅花流し」。それにともなって降る雨のことをもいう。ツバナが穂になると、入れ替わるようにススキの穂がふくらみはじめる。かつてはツバナもススキの花穂も子どもたちの絶好のおやつだった。

## 土用間《どようあい》

夏の土用中に吹く涼しい北風。「あいの風」の種類かもしれない。

## 土用東風《どようこち》

夏の土用中に吹く東風で、「青東風《あおこち》」と同意。香川県では梅雨明けや夏の台風にともなう東風をいう。

## ながし

四国、九州地方で、初夏の長雨、つまり梅雨のことをいうが、関東地方の沿岸ではそのころに吹く南・南西・西風のことをいう。静岡県沼津市で「ながしの小便」といえば、雨と不漁をもたらす七、八月の南東風。静岡県賀茂《かも》郡では五月、カツオ漁のときに吹く南風を「黒縄《くろなわ》ながし」と呼ぶ。

**夏嵐《なつあらし》** 木々の枝葉を揺るがして吹き荒れる風。

**夏疾風《なつはやて》** 急に吹きだす烈しい夏の風。「夏嵐《なつあらし》」と同意。

# 火箸の風鈴

十年ほど前、東京本郷の路上で風鈴売りの車を見たが、それきりである。車を引くと、涼しい音が波の戯れのように広がり、消え、いまはまぼろしのような気さえする。

南部鉄の小さな釣鐘型の風鈴をいただいたことがある。勤めていた会社の同僚の会費制結婚式の引き出物だった。風が来ると、女の細い笑い声をたてた。鉄に錆《さび》が付着するようになると、

声にも錆がついて、仏壇の鉦《かね》の音をさせるようになった。

ガラスの風鈴の音も捨てがたい。金属にはないやわらかさがある。これは、ほおずきの鉢を入れた竹籠《たけかご》の把手《とって》にぶら下がっていた。

明珍《みょうちん》の鉄火箸《てつひばし》の風鈴は、連れ

合いの古里・播州の産である。四本の火箸が揺れて、中央にぶら下がっている歯車のかたちをした舌《ぜつ》に触れ、澄んだ響きをたてる。これが連れ合いのお気に入りの風鈴である。

なにしろ花海棠《はなかいどう》の木の枝に年柄年中吊《つ》るしっぱなし。台風のときなどは、半鐘のようにかまびすしく鳴りたてるので、私は火箸を外してしまう。

連れ合いは出かけるとき、風鈴を手でジャランと鳴らしてゆく。以前は私が火打ち石の代わりに鳴らして、「行ってらっしゃい」と会社へ送り出していたのだが、去年から居職《いしょく》になった。

501

**南風《はえ》**　ところによって「はい」「みなみ」とも呼ぶ。おもに西日本でいう南風のことを指す古くからある言葉で、あまり強くない風が断続的に吹く。時々強く吹くこともあり、福岡県志賀島《しかのしま》では「**五斗喰《ごとぐ》い風《かぜ》**」、佐賀県東松浦あたりでは「**六俵《ろっぴょう》ばえ**」と呼ばれ、五斗や六俵もの米を食べ終わるまで、海が荒れて出漁できなくなるという意味だそうだ。

**荒南風《あらはえ》**
梅雨半ばの荒い南風。夏の季語。

**沖南風《おきばえ》**
南西寄りの風をいう九州西部沿岸地方の言葉。不漁となるので、いやがられる。

**夏至南風《カーチベー》**
沖縄で梅雨明け後に、十〜十五日間ほど強く吹く南東季節風。「カーツーバイ」ともいう。

**黒南風《くろはえ》**
黒っぽい雨雲のかかる梅雨入りのころにやわらかに吹く南風で、鳥羽《とば》や伊豆地方の船乗りの言葉だった。夏の季語。

黒南風に水汲み入るゝ
　戸口かな
　原　石鼎《せきてい》

**白南風《しらはえ》**
「しろはえ」ともいう。梅雨明けのころにそよ吹く南風。雨雲に代わって白い巻雲や巻層雲が広がる。夏の季語。

白南風や
　背戸を出づれば杏村
　室生犀星《さいせい》

**ながし南風《ばえ》**
「ながし」は梅雨時の長雨を指すが、このころの南風をもいう。

**正南風《まはえ》**
真南の風。

# 煙火《えんか》

夏に一度は花火を見ないでは気がおさまらない。友人たちを誘い、たいていは薄暮の江戸川河川敷にビニールシートを敷いて、まずは車座になる。蚕豆《そらまめ》、ゆで卵、おにぎり、それに冷凍日本酒が私の定番メニューである。小料理屋の元女将《おかみ》を誘うと、煮物や和《あ》え物が入って俄然《がぜん》豪勢になるのだが。

手元が見えにくくなり、空に蝙蝠《こうもり》が飛びはじめる頃合い、ドーンと大音響がして、いきなり緋色《ひいろ》の光のしぶきが上がる。

「今年はよく見えそうやな」と連れ合いがうれしそうな声を上げる。いつもと同じ場所である。今年は運よく風上になった、という意味なのである。

去年ははっきり見えたのは最初の一発だけだった。後は煙に西半分ほどは隠されてしまい、悔しい思いをした。

子どものころ見た花火は、漆黒の空に上がった。海辺が花火大会の会場だったので、昼の熱をじわっと放射している防波堤に寄りかかって、お腹をあたためながら見物した。煙で見えにくかったことは一度もなかった。

夜になると、陸上の気温は海上よりも早く下がるので、そのために陸から海への風が吹くのだという。「陸風《りくふう》」のおかげだった。

## 破《は》帆《はん》風《ぷう》

夏から秋に移るころに吹く大風。帆走中の船の帆も破れるほどの強風。

## 日方《ひかた》

「しかた」とも呼ぶ。日のあるほうから吹いてくる風との説がある。日本海沿岸に吹く夏の季節風をいう。日本海北部では、災害をもたらす南西の荒い風。

秋田県男鹿《おが》半島では「命取る風　ひかた風　可愛い子どもに　船のりよせよ」とうたわれた。山陰では夜間山地から海へと吹きだす南寄りの陸軟風《りくなんぷう》をいう。夏の季語。

シカタ荒れし風も名残や時鳥《ほととぎす》
河東碧梧桐《へきごとう》

## まじ

「まぜ」と呼ぶところもある。瀬戸内や伊豆地方に多く残る言葉で、夏の晴天の日に吹く弱い南風または南西風を指す。柳田國男は『風位考』で「マゼ・マジのマも、或《ある》ひは好い間を意味する風の名では無かつたか」と書いている。

関口武は『風の事典』に「マジ・マゼは真風ということになり、風らしい風という意味の言葉であるのかも知れない」と述べている。

広島県豊田郡には「寒い北風、冷たいアナジ、わしが思うはマジの風」という言い伝えがある。宮崎県では「マジの風と女は手ぶらでは来ない」といい、雨をともなう。

夏の季語。

地の闇を這《は》ひなく猫や
　夜の南風《まぜ》
　　原　石鼎

## あぶらまぜ

高知県室戸《むろと》市で、昼間の弱い東風。海は穏やかである。

## 送南風《おくれまじ》

「**おくりまぜ**」とも。陰暦七月に盆の精霊《しょうりょう》を見送ってから吹く南風の意。伊豆や志摩地方で、夏の終わりごろに吹く南南西の風のこと。高知県では六、七月に何日もつづく南風のおしまいのほうの風をいう。

## はえまぜ

高知県で、雨をともない、急に吹く南東の風。「**はえまじの風**」ともいい、台風なみに高波が寄せる。

# いなさの風

太平洋の潮風を浴びて育った。私の古里は下総《しもうさ》九十九里浜東端の飯岡《いいおか》町である。鉄気《かなけ》をふくんだものはすぐに錆びる。ドアの蝶番《ちょうつがい》も取り換えて間もないのに、点々と錆が噴きだしてくる。自転車も赤錆だらけ。「古《こ》物屋《ぶつや》に追いかけられっと」と笑われながら、愛車を乗りまわしている人もいた。

頑丈な防風林がほしいところだが、浜辺では木はいっこうに伸びない。丘の麓の辺りまで行くと、家々は高いマキの木を生垣にしていた。

潮風はべたべたしているから、といって、嫌う人も少なくないが、私はその塩分をふくんだべたべたがかえって体を清潔にしてくれそうな感じがして、ありがたいと思っている。

梅雨前後、そのべたついた、生暖かい南東の強風が吹くことがある。これを地元の人たちは「いなさ」と呼ぶ。なにごとか起こらないではいないような不気味な風である。

時化《しけ》のときは「いなさ」が多く、漁師は船を出さない。九十九里浜は南東にひらけた弓なり

のかたちをしており、そこに南東の強風が吹けば、逃げ場がないのだという。南風だったら、まだ隣の銚子《ちょうし》港に逃げられる。

しかしながら銚子もまた暖流と寒流のぶつかる海の難所である。「銚子の川口てんでんしのぎ」という古諺《こげん》がある。

利根川《とねがわ》が海にそそぐ河口あたりでは、まして複雑な海流が生じる。てんでに、各自、船を守らなければならない、他の船が転覆しても助けにはいけない、助けてももらえない、という意味かと思っていたが、もっと厳しい掟《おきて》だった。自分の命は自分で守れ、ということだった。

なにしろ「板子《いたこ》一枚下は地獄」、この世の風の吹かないところである。

## 麦嵐《むぎあらし》

麦秋に野を渡る爽《さわ》やかな風。「**麦《むぎ》の秋風《あきかぜ》**」ともいう。

鳶《とび》の尾の裂けたり麦の秋風に　長谷川かな女

## 山背風《やませ》

「**山瀬風《やませ》**」とも書く。東北地方の太平洋沿岸に山越えで吹いてくる冷たい北東風のことで、この風が吹くと厚い「やませ雲」がかかり、霧や小雨を降らせるので、稲作農家に深刻な冷害を及ぼす。「七日山背《なぬかやませ》」などといって、七日も吹きつづけることがあり、恐れられている。一方、日本海側では山を背にした風のことをいい、船を送りだすのには都合のよい風とされる。夏の季語。

津軽女等やませの寒き頬被《ほおかぶり》　富安風生《ふうせい》

## 羊頭風《ようとうふう》

「羊」は南西位を表す。夏の南寄りの風。人畜みな気分が悪くなる風。

## 落梅風《らくばいふう》

陰暦五月、梅の実が落ちるころに吹く風のこと。学校への出がけに、一つまみの塩をポケットにしのばせる。帰路に道端の梅の実を食べるためだ。ジュースの自動販売機などなかった時代の子どもたちの、盗みなどこ吹く風、ちょっぴりワルで甘酸っぱい初夏の儀式。

## 涼飆《りょうひょう》

涼しい風のこと。涼風。またまた出ました犬三匹。ここでは涼やかに草橇《くさぞり》遊びの風情か。

## 若葉風《わかばかぜ》

初夏のころ、木々の若葉をそよがせる艶《つや》やかな風。

# 風招《かざおき》の嫗《おうな》

特攻基地で知られた薩南・知覧《ちらん》近くの山峡にかつて戸数七軒の小さな集落があった。いまはもう灌漑《かんがい》用のダムの湖底となっている。七軒がすべて同じ姓を名乗っていたから、おそらくは何か訳あって隠れ住んだ一族の末裔《まつえい》だったのだろう。麓《ふもと》との行き来も稀《まれ》で、それだけにその明け暮れはどこか時代離れがしていて、江戸・明治の尾っぽを引きずっているようなところがあった。

たとえば麦の収穫法だが、猫の額ほどの段々畑から刈り取ると、運び下ろすことをせず風のない日を見計らって畑で焼き麦にする。左手に麦束を持ち松明《たいまつ》よろしく火をつけ穂だけを焼き落とす。すかさず火を右手の麦束に移し数珠繋《じゅずつな》ぎに、この作業を繰り返す。

麦の穂が冷めるとカマスに詰め山道を担ぎ下ろし、莚《むしろ》に広げて竹竿《たけざお》で叩《たた》く。次に選別作業にかかるのだが、ここからがいよいよ風の出番となる。両の手で麦を掬《すく》い、高々と差し上げては落とし、繰り返し風の力を借りて殻を吹き飛ばして選別する。この手法は辞書に風選《ふうせん》とある。

この風選は風あってのものだが、あるとき一人の老婆が風を呼んでいるのを見たことがある。麦を高々と掲げ、まるで祭祀《さいし》をつかさどるかのような威厳を見せて「ひぃようぅ、ひぃようぅ」と叫ぶ。すると巻貝のような坂下の小道を、風が親しい子犬のように一散に駆け上がってくるのだった。

虎舞（写真提供・中新田町役場観光課）

# 甍《いらか》の上の虎

宮城県は加美郡中新田《なかにいだ》町に「虎舞《とらまい》」という祭りがある。毎年四月二十九日に行われるこの舞は、頭《かしら》も装束も虎、二人使いで囃子《はやし》にのって乱舞する。仕立ては獅子舞と同じだが、なんとこの虎の一団は家々の屋根で跳躍する。何ゆえに屋根なのだろうか。

この舞の縁起には「龍は雲に従い、虎は風に従う」とある。したがってこれは、龍は雨神・虎は風神という故事に倣った「火伏《ひぶ》せ・風鎮《かぜしず》め」祈願の祭りなのだ。だからこそ屋根が舞台なのだろう。どこか大陸的なにおいのする勇壮な風祭りである。

　ところで私たちが馴れ親しんでいる「十二支」の順は、子《ね》から始まり、丑《うし》、寅《とら》、卯《う》、辰《たつ》……と続く。三番目からの寅（虎）、卯（兎《うさぎ》）、辰（龍）という組み合わせにご注目いただきたい。寅（虎）は風神、辰（龍）は雨神。この荒ぶる二神の間にいるのが卯（兎）である。兎は柔和にして篤実仏性ありとして月に挙げられた獣、調停役としては他に適任者はあるまい。

　その名残であろうか、能登地方の鬼《おに》瓦《がわら》には波に乱舞する兎が刻まれている。いずれにしても風神雨神相まって荒れるときは、兎の調停が失敗に終わったということか。そう考えれば脅威ではあるが風雨もまた一興である。

（この稿文責編集部）

# 風の散歩

あのひとの紅葉も
このひとの紅葉も
みんな舞わせてしまい

あのひとの帽子も
このひとの帽子も
みんな飛ばしてしまい

あのひとの木の実も
このひとの木の実も
みんな落としてしまい

ひとをみんな
さびしくさせてしまい
帰りました

四季の風

# 秋の風

# 秋の風

あききぬとめにはさやかに見えねども
風のをとにぞおどろかれぬる

藤原敏行

秋はまず小さな風の音から始まる。庭のたたずまいも空の色も昨日につづく今日なのだが、風の音が確かに秋を告げている、秋になったのだ、と気づかされることは、いまの私たちの暮しの中にもある。

夏の温気《うんき》をはらってくれる涼風の訪れを、だがよろこぶいとまもなく、台風の襲来である。「二百十日」は立春からかぞえて二百十日目ということで、九月一日か二日がそれに当たる。「二百二十日」も同様に九月十

一日か十二日で、農家にとっては両方とも厄日である。稲の開花期と台風の時期がぶつかるからである。

風を鎮め、豊作を祈る風祭《かざまつり》をいとなむ地方がある。中でも富山県婦負《ねい》郡八尾《やつお》町の、元禄十五年に始まり、毎年九月一日から三日間行われる美しい風祭「風の盆」は有名である。胡弓《こきゅう》の「おわら節」が町に流れ、深編《ふかあみ》笠《がさ》の踊り子たちが風の精のように夜の町を過ぎるのである。

同町、また東礪波《ひがしとなみ》郡の山麓地域には「ふかぬ堂」(風神堂)が十数カ所もあるというところから、この辺りはとくに風の被害をこうむりやすいのだろう。「風の盆」が済むと、本格的な秋到来である。

## 青北風《あおきた》

「**あおぎた**」とも読む。西九州を主体とする西日本の言葉で、初秋から仲秋に吹く涼しい北風。これが吹くと秋到来で空、海ともに青むところからきている言葉。静かな風だが、突風となることもある。

## 青《あお》げたならい

「ならい」は関東地方に吹く北東風。秋晴れに強く吹く北東風のことで、伊豆大島や静岡県の言葉。

## 秋嵐《あきあらし》

初秋から仲秋にかけての強風。「初嵐」とも通じる。

### 風《かざ》切《き》り鎌《がま》

聖徳太子ゆかりの奈良・斑鳩《いかるが》法隆寺の五重塔は世界最古の木造建築として有名だが、この優美な塔の最上部相輪《そうりん》の根元に四本の鎌が据えられている。法隆寺のみに見られるもので詳しい由来は不明。

一説に雷除けといわれているが、秋田県や長野県では二百十日に竹竿の先に鎌を挿し、それで風を切るという風習もある。全国から法隆寺建造に関わった大工たちの風除けの工夫という想像も可能だ。

## 秋風《あきかぜ》

秋風一般をいうが、古来詩歌には秋の初風や、晩秋の身にしむような風が好んで詠まれた。季節の移り変わり、時の流れを風に託して繊細にうたったのである。

秋風にはさまざまな異称があり、「**金風**《きんぷう》」「**素風**《そふう》」「**色**《いろ》**なき風**《かぜ》」「**鳩吹**《はとふ》**く風**《かぜ》」「**鯉魚風**《りぎょふう》」などがある。また、寂しげに聞こえてくるその風音はとくに「**爽籟**《そうらい》」という。「籟」は笛の一種である。

秋風や眼中のもの皆俳句　高浜虚子

# 清少納言は嵐がお好き

清少納言は『枕草子』の中で、好ましい風について語っている。「風は嵐。木枯《こがらし》。」と始まる。もっとも「嵐」は、古くは暴風ではなく、山から吹いてくる冷たい風だったようだ。

「いとあはれ」な風は、まず「三月ばかりの夕暮に、ゆるく吹きたる花風」。春の夕暮れ、ものみなかすむ頃合い、桜の花びらをはらはら散らせるほどの風は、なるほど申し分がない。

それから「八月ばかりに、雨にまじりて吹きたる風」。いまの九月ころだろうが、涼気が吹き込んで、快い風である。「暁、格子《かうし》、妻戸《つまど》などを押しあけたるに、嵐のさと吹きわたりて、顔にしみたるこそ、いみじうをかしけれ」と続く。

そして「黄なる木の葉など、ものほろほろとこぼれ落つる」九月から十月にかけての強風がいい。

「野分《のわき》のまたの日」、つまり秋の台風の翌日は、「いみじうあはれにおぼゆれ」と書いている。庭の大きな木が女郎花《おみなえし》の上などに倒れ、後片付けをする人びと、それを見やる女性のしぐさなどを描いている。

初めに「嵐。木枯。」と言いきっただけのことはある。春風などはまるで付けたりである。才女であっても、日々の宮仕えにはやりきれないところがあったのかしらん。心機一転をはかりたいところもあったのだろう。

**秋《あき》の嵐《あらし》** 「野分《のわき》」（八九頁）よりやや弱い風のこと。

**嵐窓《あらしまど》**
能楽堂に鏡の間という小部屋がある。シテはここで装束を整え静かに出を待つ。この部屋には見附窓と呼ばれる小さな格子窓があって客席を窺《うかが》うことができるが、この窓を嵐窓と呼んだ能楽師がいる。客席のざわめきを嵐と見立てて身を引き締める、演能前の張りつめた間合いを言い当てて絶妙。

**秋《あき》の声《こえ》** もの寂しく、秋の詩情や情緒を感じさせる風をいう。

**秋《あき》の初風《はつかぜ》** 秋の訪れを初めて感じさせるような涼風。

## 芋嵐《いもあらし》

里芋の葉を揺らしながら吹く強風。

### 里芋の子別れ

「芋嵐がきたら芋の葉を摘め」という農夫の戒めがある。葉がついたままだと風に茎ごと吹き揺すられ、親芋と子芋が離れ離れになって子芋は太ることができない。このころの里芋畑は芋がらばかりが林立して面白いが、自然と向き合う農夫の工夫に驚嘆する。

## 色《いろ》なき風《かぜ》

中国の五行《ごぎょう》思想で白を秋に配するところから生じた言葉。「色なき」とは華やかな色のないこと。芭蕉《ばしょう》に

石山の石より白し秋の風

という句があるが、漢詩に親しんでいたことをうかがわせる。

## 浦西《うらにし》

京都府宮津市あたりで、秋から冬にかけての雪まじりの北西風。舞鶴《まいづる》市では、時化《しけ》になる寒い南西風。

## 荻《おぎ》の風《かぜ》

荻の葉に吹く秋の初風をいう。その葉が風にそよぐ音から「**荻《おぎ》の声《こえ》**」「**荻《おぎ》の音《おと》**」「**荻葉風《おぎのはかぜ》**」などと呼ばれ、俳人たちは秋の到来を感じたのである。秋の季語。

荻の声舟は人なき夕《ゆうべ》かな　高桑闌更《らんこう》

## 送南風《おくりまぜ》

「送」とは、盆の精霊《しょうりょう》を見送ること。盆東風《ぼんごち》の後に吹いてくる南風の意。「**おくれまじ**」ともいう。

## おしあな

「**おっしゃな**」ともいう。「おしあなじ」の略で、「あなじ」の反対方向の風をいう。「あなじ」は冬の北寄りの強い季節風である。西九州でつかわれ、台風のときに南東から吹く暴強風。「**おしあなかぜ**」「**おしあなごち**」、また南南東の風である「**おしあなばえ**」などがある。

## 雁渡《かりわたし》

雁を乗せて九、十月ころ北方から吹いてくる冷たい季節風のこと。雨まじりで海上も荒れることがある。伊豆や伊勢地方の漁師が名付けた古い言葉だが、いかにも優美で秋の季語となっている。

草木より人飄《ひるがえ》る雁渡し　岸田稚魚

## 黍嵐《きびあらし》

黍の穂に吹きつける強い風のこと。

## 金風《きんぷう》

中国の五行思想で、万物組成の五つの元素の一つである「金」は、秋や西に当たるという思想からきている言葉で、秋の風をいう。

# ススキの細い沢山の手

恵《え》那山《なさん》に初雪が降ったというころ、木曽・馬籠《まごめ》の水路の石組みで、手拭《てぬぐ》いをかぶったおばあさんが大根を洗っていた。妻籠《つまご》へ向かうバスの窓から、採る人もなく、たわわに実をつけた柿の木、日の光をほわほわはらんだススキを見た。

　風にもっとも敏感な草は、ススキかもしれない。風草《かぜくさ》、別名風知草《ふうちそう》という風となかよしの草もあるが、土手の上などで小さな紫の花のそよぎを見ていても、風向きは分からない。

　宮沢賢治の『風の又三郎』の中に、こんな描写がある。

「風が来ると、芒《すすき》の穂は細い沢山の手を一ぱいのばして、忙しく振つて、

『あ、西さん、あ、東さん。あ、西さん。あ、南さん。あ、西さん。』なんて云つてゐる様でした。」

　ススキのかろやかな楽しさ、目まぐるしさ。風が駆けていったほうに、ススキは手を振るのだ。「西さん」と呼びかけたときには、でももう西風は後ろ姿を見せている。

　ススキのことを尾花《おばな》といった古人の気持も分かるが、風にこたえる「細い沢山の手」の比喩《ひゆ》も愛らしい。

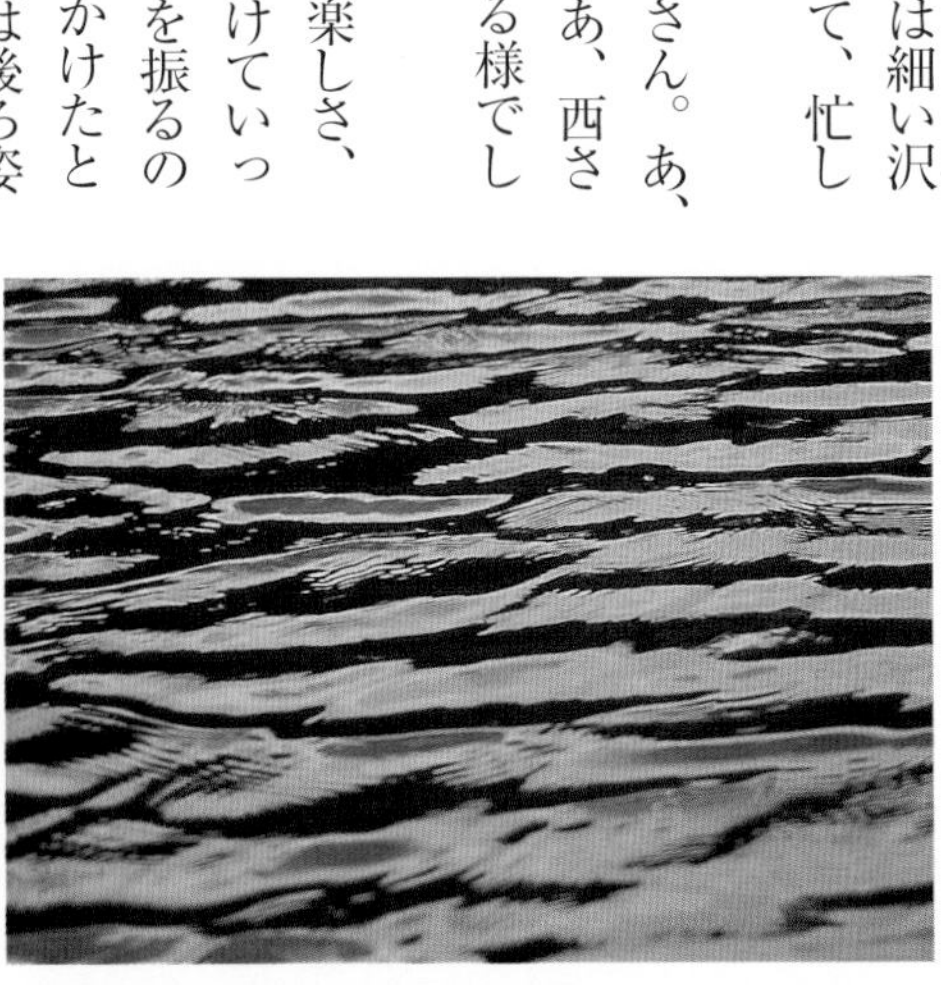

　ススキさんに時々「あ、高橋さん」と手を振られながら、木曽路を辿《たど》った。

## 鮭颪《さけおろし》

奥羽地方で鮭が産卵のため川を上る陰暦八月ころに吹く強風のこと。

## 秋声《しゅうせい》

木の葉が舞い散る音を添わせながら吹く秋の風。また音そのものをいう場合もある。いかにも寂しげな秋の景。

秋声に百姓まなこみひらかず　石橋辰之助

## 商風《しょうふう》

中国の五行思想では、五つの音階、五音《ごいん》の一つである「商」を秋に配する。秋風のこと。「商飆《しょうひょう》」「商籟《しょうらい》」も同意。「商声《しょうせい》」は「秋声《しゅうせい》」と同意。

## 台風《たいふう》

北緯五〜二〇度付近に発生し、夏から秋にかけてアジア大陸沿岸、フィリピン、日本などに襲来する毎秒一七・二メートル以上の熱帯低気圧のこと。しばしば海難や風水害を引き起こす。平安時代から「野分《のわき》」と呼ばれていたが、明治になり、英語の「タイフーン」の訳語である「颱《たい》風《ふう》」と表記されるようになった。「台風」はその書き換えであるとも、台湾地方で吹く風の意ともされる。

「台風」の語の上に様態などを付してさまざまに言い表している。たとえば、「雨台風《あめたいふう》」「大台風《おおたいふう》」「新《しん》台風《たいふう》」「風台風《かぜたいふう》」（沖縄本島では火風《ビーカジ》という）、「初台風《はつたいふう》」「豆台風《まめたいふう》」「迷走台風《めいそうたいふう》」など。秋の季語。

颱風や守宮《やもり》は常の壁を守り　篠原鳳作《ほうさく》

## 天狗《てんぐ》どんの四方餅《しともち》

薩摩地方で台風一過の栗拾いのことをいう。「四方《しと》」とは棟上げのお払いに棟梁《とうりょう》が撒《ま》く祝い餅のこと。天の恵み、この日ばかりは自生の栗は山主に憚《はばか》ることなく拾うことができた。

# 賽の河原のかざぐるま

この世でいちばん数多くかざぐるまがまわっている場所は、賽《さい》の河原である。もっともあの場所は、あの世ともいえずこの世ともいえぬところなのだが。

賽の河原は下北半島の恐山《おそれざん》、佐渡北端にあるものなどが有名だが、そのほかにも不意打ちされるように、温泉街の外れ、硫黄の臭《にお》いが鼻につく河原などに、小石が積まれている風景に出合うことがある。そこに赤・青・黄色・ピンクのかざぐるまがまわっていれば、まぎれもなく賽の河原である。

死んだ幼い子どもの霊が集まって、父母の孝養のために石の

塔を造ろうとしては、鬼に壊される。それを地蔵菩薩《じぞうぼさつ》が救う、という信仰から出たものらしい。

賽の河原はたいてい吹きさらしであるから、かざぐるまは絵の具をかきまぜた色になって、よくまわる。多く灰色の濃淡である。風が息を抜くと、少しずつ原色が現れる。死んだ子と遊んでやれるものはもはや風しかいないのである。

野墓の多い土地を訪れたときのこと、墓の側に彼岸花が咲いていた。ああ賽の河原の風景、と思った。しかし花は風にこたえず、おのれひとり渦巻きをきつくするばかりである。

## 高西風《たかにし》

関西以西で十月ころ急に吹きだす強い西風のことだが、地域によっては南西風や北西風を指す。海難の恐れもあるが、農村でも別名「**籾《もみ》落《おと》し**」と呼ばれ、稲に被害を及ぼす。

### 台風と物干し竿

農業を営む者にとって、気候のもたらす様々な試練は如何《いかん》ともし難い。それでも先人たちは、風神・雨神の隙《すき》を狙って誰が考えたとも分からない知恵と工夫で対抗する。刈り入れ直前の台風襲来には物干し竿だ。二人で竿の両端を持ち、稲株をすべて一定方向に倒して穂を風から守る。

## 野分《のわき》

「**のわけ**」とも呼ぶ。野の草を分けながら吹き過ぎる強風からきた言葉。二百十日、二百二十日ころを中心に吹き荒れる暴風のこと。「野分雲」と呼ばれるちぎれ雲が空に走り、海や川の水面には「野分波」が立ち、「野分水」（洪水）が出ることもある。

大風の通過した翌朝、草木などがしおれ、倒れ伏す「野分後（跡）」のさまに、平安朝の文人貴族たちは常の日にない風情を感じたようである。「**野分《のわき》の風《かぜ》**」ともいう。秋の季語。

野分する
野辺のけしきを見る時は
心なき人あらじとぞおもふ
藤原季通《すえみち》

## 初秋風《はつあきかぜ》

秋を感じさせる初めての風。秋到来を告げるように吹く涼風をいう。「秋の初風」ともいう。

吹きおこる秋風鶴をあゆましむ　石田波郷《はきょう》

## 初嵐《はつあらし》

「初秋風《はつあきかぜ》」と「野分《のわき》」の間に吹き荒れる強風のこと。野分の前触れのように吹く荒い風を指すこともある。秋の季語。

にはとりのたたら踏みけり初嵐　飴山　実

**鳩《はと》吹《ふ》く風《かぜ》** 初秋の風。「鳩吹く」は秋の季語。猟師が山鳩を捕るために、両てのひらを合わせ、巧みに鳩の鳴き声を真似て吹き鳴らすことをいう。そのひびきを運ぶ風のことか。

**悲風《ひふう》** 寂しく、悲しげに吹く風。そのひびきを指す場合もある。多く秋の風を指す。

**盆北《ぼんぎた》** 「**ぼんきた**」とも呼ぶ。陰暦七月、盆の前後から吹きはじめる北の風。西九州に多い。「**盆荒《ぼんあ》れ**」ともいう。

**浜西《はまにし》** 千葉県安房《あわ》郡や神奈川県横須賀市で、秋口に吹く西ないし南西風。山口県大島郡では晩秋に多い西風をいう。



**盆東風《ぼんごち》** 三重県度会《わたらい》郡で盆過ぎに、福岡県遠《おん》賀《が》郡で盆の前に吹く東風。鹿児島県鹿屋《かのや》市では旧盆ころに「**ぼんごつ**」が吹く。

**新北風《ミーニシ》** 沖縄で十月初めに吹く爽《さわ》やかな北東季節風をいう。この風に乗って鹿児島の佐多《さた》岬から鷹《サシバ》の大群が沖縄に飛来する。

# 風の三郎

風の神「風の三郎様」をまつる風祭りが、新潟県東蒲原《ひがしかんばら》郡で旧暦六月二十七日に行われるという。「風の三郎」とは、言い伝えによれば、源義家の弟で、笙《しょう》の名人である新羅《しんら》三郎義光に由来する。法をもって大風を起こしたことから、風の神とあがめられるようになったそうだ。

当日は集落の境に小屋を建て、屋根には麦をのせておく。通りかかった人は誰もが小屋に風のしわざのごとき一撃をくわえ、風の神が集落を避けてくれるように祈るのだそうだ。

新潟県三川《みかわ》村には、昭和四十年ころまで、二百十日の日に子どもたちが木に登って、「風の三郎、風吹かないでくりゃれ」と叫びながら、木を揺する風習が残っていたそうだし、岩手県

でも二百十日の風祭りが行われていたそうだ。
以上は多田幸正氏の『賢治童話の方法』（勉誠社）で知った。多田氏は「風の又三郎の名は、新羅三郎の伝承に関わる『風の三郎』の名に『又』の一字を加え」たもので、「風の神『風の三郎』の『息子』の意味が含意されている」としている。
風の三郎とは何者だろうか。私は新羅三郎よりも前に風の三郎がいたような気がする。「さむい、さぶい」の三郎はじつに風の神にふさわしい名前である。寒三郎はきっと三郎の息子だろう。

## やまじ

中国地方の言葉。岡山県久米《くめ》郡、山口県岩国市通津《つづ》で二百十日の東の大風をいった。香川県小豆《しょうず》郡では春一番の東風をいう。地域によって吹く時期はさまざまだが、東または南東の強風のようだ。

## 鷹風《ようふう》

雲をしのぐほど、天高く勇壮に飛ぶ鷹を秋風が乗せるところからきているのだろう。広く秋風をいう。

秋風や鷹に裂かるる鳥の声　加藤暁台《きょうたい》

## 鯉魚風《りぎょふう》

陰暦八、九月ころに吹き渡る風。中国の『古楽符』に「双鯉魚《そうりぎょ》」の中に書信を託した話があり、そのことから手紙のことを「鯉書《りしょ》」「鯉素《りそ》」というが、灯火親しむころ、友の消息を告げてほしいような、人恋しい風が吹くことがある。

## 蓼風《りょうふう》

「蓼」は、タデという草を表すほかに、にがい、苦しい、多い、という意味がある。タデの花、穂は秋の季語。野原や路傍のタデの花の群落をそよがす秋風の意か。犬タデは、ご存知赤まんま。

犬蓼のうきにはもれぬ野分かな　谷口楼川《ろうせん》

## 裂葉風《れつようふう》

秋になり、葉っぱを切り裂くほどに烈《はげ》しく、陰暦八月ころに吹き渡る風。

## わいた

「わいだ」という地方もある。

西日本の古い言葉で、台風の吹き返し的な性格をもつが、北寄りの暴強風をいうことが多い。柳田國男は「ワイダはワキカゼだと考えられぬことは無い」と語源を考察している。

## 若狭《わかさ》

若狭以東、青森県に至る日本海沿岸地方で、秋の荒れ風をいう。そのころになると、若狭から漁船などがやって来たらしい。

# 一茶の風

小林一茶《いっさ》は家族運のない人だったこともあって、よく行《あん》脚《ぎゃ》に出た。奥州から九州、四国にまで赴いている。江戸と郷里の信濃柏原《かしわばら》との間は何度も往復した。自ら「信濃国乞食《こつじき》首領一茶」と名乗ったこともある。

秋の風乞食ハ我を
　見くらぶる

一茶は秋風に吹かれて、急ぎ足である。薦《こも》をかぶった人のいぶかしげな目に出会った。その目は、はてな、わしのほうがまだましなくらいの身なりだが、この男、何者だろう、と語っていて、一茶は情けなくもあったが、おかしくもあったのである。

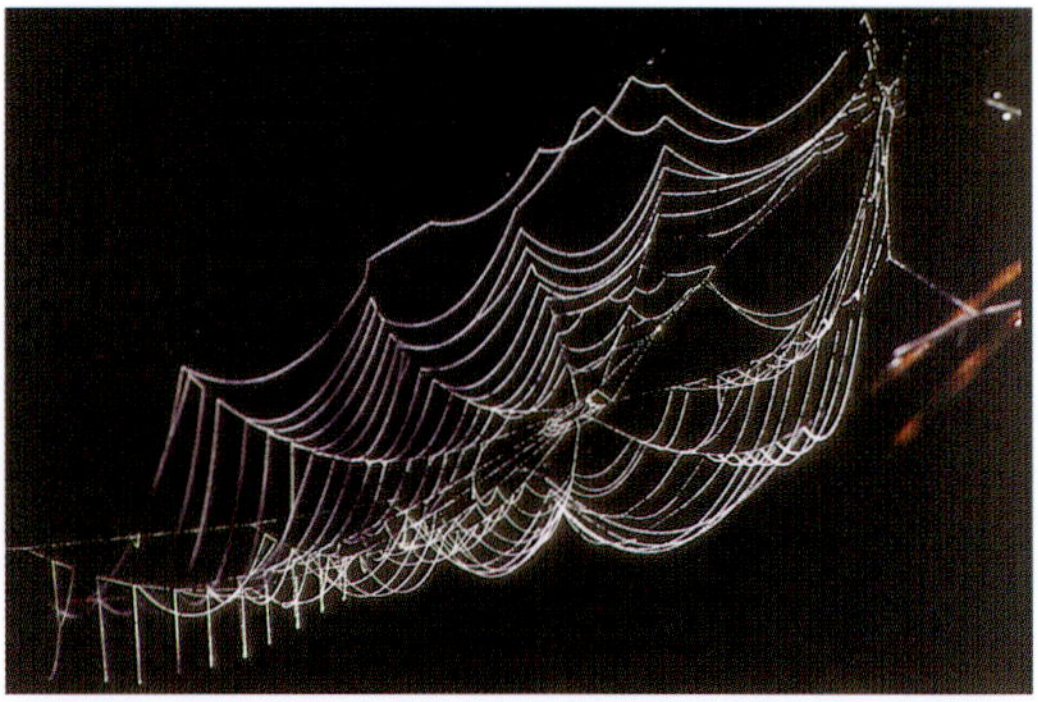

山風を踏こたへたり
　みそさゞい

みそさざいは翼の長さが五センチほどの小鳥で、山間の水辺

に棲《す》む。吹き飛ばされまいと小さな足を踏ん張って、必死に山風に立ち向かっている。哀れみというよりは、自分の境遇を小鳥に重ねて見ているようだ。

一茶は小動物が頑張っているのを見過ごせない。そのエネルギッシュなさまを大きく詠む。

涼風や力一ぱい
　　きり〳〵す

キリギリスの鳴き音に涼風を私たちは感じるが、なかなか小さな虫の一生懸命さには思い至らない。

一句の中に生命がひしめいて、声をあげている、それが一茶の風雅である。

# 冬の扉

どこかで枯れ草が鳴っている
声をからしている

いいえ　あれは風が運んだ
夜の砂丘の砂が鳴るの

いいえ　あれは風に盗られた
帽子の踊る音

木枯らしの杖が
そこらじゅうを叩きに来た

風の蔵の扉は
あけっぱなし

四季の風

# 冬の風

# 冬の風

ひうひうと風は空ゆく冬牡丹

上島鬼貫《おにつら》

ひゅうひゅうと空をゆくのは北風である。冬の季節風は強力である。冬牡丹《ふゆぼたん》は寒牡丹ともいい、霜囲いを十分にして、寒中に咲かせるものである。花びらの打ち重なった牡丹は、華麗で、あたたかい感じがする。

　冬の風のことを端的に寒風という。シベリアから寒波が吹き出し、北ないし西の風が卓越する。この風が本州の脊梁《せきりょう》をなす山脈を越え、関東平野に下りて

くるのが空《から》っ風《かぜ》である。「上州の空っ風」「遠州の空っ風」などが有名である。空っ風が吹きすさぶときは、砂塵を巻き上げ、髪の毛の中にも目にも口にも、ジャリジャリと砂が入ってくる。

冬の北西季節風は、対馬《つしま》暖流の流れる日本海を通過する際、大量の水蒸気を吸収する。これが北アルプスや越後山脈の山麓に大雪を降らせる原因となる。

そこに暴風が吹けば、吹雪である。積もっている雪まで舞い上げる地吹雪《じふぶき》ともなると、数メートル先の視界も閉ざされる。

美しいのは、風花《かざはな》である。空は青くきらきらしているのに、夢のように雪片が降ってくるのである。遠くの雪雲から風が運んでくるのだそうだ。

## あなじ

「あなぜ」と呼ぶ地方もある。瀬戸内中西部・四国を中心とし、西日本一帯でつかわれる。冷たく乾ききった北西からの季節風をいう。「あなじ」と「あなぜ」を較《くら》べると、「あなぜ」のほうが分布地図の末端のほうでつかわれているところからみると、古い言葉だったようだ。

## 陰風《いんぷう》

冬の風または北の風のことで、その冷たさ、厳しさを思えば誰《だれ》しも気が滅入る。

### 虎落笛《もがりぶえ》

冬の激しい風が竹垣や柵《さく》に当たって発する音を笛にたとえた。中国では割竹を組んだ垣を虎落《もがり》と呼ぶ。語源からの想像だが虎除けの柵、または虎罠《とらわな》の転じたものかもしれない。いずれにしても荒涼たる冬の景。

一汁一菜垣根が奏づ虎落笛　中村草田男《くさたお》

## 浦西《うらにし》

初冬の西寄りの風のこと。京都の丹後《たんご》ではこの風には「弁当忘るるとも傘忘るるな」の言い伝えがあり、雨や雪をともない、このころから時雨《しぐれ》がちとなる。突風が吹き、危険なため、休漁することもある。冬の季語。

うらにしや
帯織つて足むくませて　大野林火《りんか》

### 鵲巣《じゃくそう》は風の起こる所を知る

鵲《かささぎ》はその年の風の具合を予見して巣を作る本能をもつ鳥といわれている。転じて未来を予知する能力のたとえ。似たような諺に「蜘蛛《くも》は大風の吹く前に巣をたたみ、狐は雨の降る前に穴をふさぐ」ともいう。災害保険や生命保険をもたない小動物たちの懸命の営みと造物神の配剤。

# 大漁旗のある風景



家々の前が掃き清められて、せいせいしたところに大小の門松が立てられ、神社の辺りだけ人の流れがあるのが町中の正月風景だが、港のそれは派手派手しい。

正月は漁が休みなので、船は港に停泊している。そのすべての船が大漁旗《たいりょうばた》を掲げているのである。全国的な習わしかどうか知らないが、今年千葉県銚子《ちょうし》の外川《とかわ》漁港に行ったところ、一艘《そう》ずつそれぞれ趣向をこらしためでたい絵柄の大漁旗が潮風にはためいていた。年頭の大漁祈願である。

中間色のねぼけた色なんか使われていない。赤・青・黒地に○○丸などと白抜きされた船の名前が鯛《たい》や海老《えび》といっしょに躍っている。

ふだん港の辺りはあまり色彩のないところである。それが年が明けると、いきなり極彩色の塊が力いっぱい風をはらんで、われもわれもとうなり声まであげそうなのだから、見ものである。

むかし甲子園に銚子商業高校が出場したとき、漁師たちが応援団席で大漁旗をふりまわした。威勢がよくて、試合のほうも大漁だったが、あれをふりまわされると、後ろの観客はまったくゲームが見えなくなるそうで、苦情が相次ぎ、持ち込み自粛となったらしい。

港では、そんなに大きな旗には見えないのだが。

## 鎌風《かまかぜ》

にわかに起こる暴風のことで、「疾風《はやて》」と同意。急に皮膚が裂けて血がにじむ「鎌いたち」からきている言葉。

## 神渡《かみわた》し

陰暦十月、神無月《かんなづき》に吹く西風で「神《かみ》立風《たつかぜ》」ともいわれ、出雲《いずも》大社へ出かける神々を送りだす風の意。その往来には必ず風をともなうという。
香川県粟島《あわしま》ではそのころの北ないし北西の風、愛媛県越智《おち》郡では大風をいう。冬の季語。「**神の旅**」「**神送り**」ともいう。

あるる物としれどたふとし　神送
上島鬼貫《おにつら》

## 空《から》っ風《かぜ》

「**空風**《からかぜ》」ともいい、雨や雪をともなわない、乾いた山越しの強い北風。昔から江戸や上州（群馬県）、遠州（静岡県西部）では名物だった。冬の季語。

雪は来でから風きほふ空《そら》凄し
河合曾良

## 寒風《かんぷう》

「**さむかぜ**」とも読む。冬の冷たく、寒い風のこと。冬の季語。

寒風に少女はつよき言葉持つ
右城暮石《うしろぼせき》

## 屋根の上の庭

日本の田園風景から年々失われてゆくものの一つに茅葺《かやぶ》き屋根がある。かつては至る所で見られたが、今では文化財という存在。この茅葺き屋根の最上部（棟）に設けられていたのが芝棟《しばむね》である。
棟に芝を敷き、イチハツ、アヤメ、ショウブ、ユリ、ニラなどの草花やニシキギ、ノリウツギなどの小灌木を植え込む。この手法は屋根の防水と風害に格段の効果をもたらすという。いま一つには、正月の松飾りや端午の節句のショウブを例に引くまでもなく、植物のもつ霊力にあやかる魔よけの意味もあるだろう。
この芝棟も、茅葺き屋根とともに今や伝説になろうとしている。風景が失われれば、そこを吹く風もまた……。

**北颪**《きたおろし》　山から吹き下りてくる強い北風のこと。「颪」は以下に記すように、地方を代表する山の名前を冠して呼ばれることが多い。冬の季語。

寝られずやかたへ冷えゆく北下し
向井去来《きょらい》

**赤城颪**《あかぎおろし》
両毛《りょうもう》（群馬県・栃木県）地方。

**浅間颪**《あさまおろし》
両毛地方。

**愛宕颪**《あたごおろし》
「嵯峨颪《さがおろし》」ともいう。京都市上嵯峨北部にある愛宕山《あたごさん》からの颪。

**伊吹颪**《いぶきおろし》
伊吹山《いぶきやま》からの颪。濃尾（岐阜県南部と愛知県西部）地方。

**北山颪**《きたやまおろし》
一般的に北の山を指す場合と、京都北山をいう場合とがある。

**蔵王颪**《ざおうおろし》
出羽《でわ》（山形県・秋田県）地方。

**鈴鹿颪**《すずかおろし》
伊勢（三重県）地方。

**筑波颪**《つくばおろし》
利根川《とねがわ》あたり。

**那須颪**《なすおろし》
両毛地方。

**男体颪**《なんたいおろし》
日光の男体山からの颪。関東平野。

**榛名颪**《はるなおろし》
「伊香保風《いかほかぜ》」とも呼ばれた。両毛地方。

**比叡颪**《ひえおろし》
「叡山颪《えいざんおろし》」ともいう。近江《おうみ》（滋賀県）地方。

**比良颪**《ひらおろし》
琵琶湖西岸の比良山《ひらさん》からの颪。近江地方。

**富士颪**《ふじおろし》
「富士川颪《ふじがわおろし》」ともいう。関東・東海一帯。

**摩耶颪**《まやおろし》
六甲山地の中の摩耶山《まやさん》からの颪。阪神（大阪と神戸）地方。

**三国颪**《みくにおろし》
三国峠。群馬県沼田市付近。

**六甲颪**《ろっこうおろし》
阪神地方。

# 冬の家

東京千駄木に借りた家は昭和初年代に建てられたというもので、時計が逆まわりしたような、不思議な気分だった。お風呂はバランス釜とかいって、水を張ってから冬など五十分もかけて沸かした。もちろんシャワーの設備もない。お手洗いは和式で、連れ合いは時々便器の中にスリッパを落とした。

　日当たりが悪く、どうも根太《ねだ》が腐っているようで、台所の床を踏むと、ぶわぶわして気味が悪かった。冷たい湿気が這《は》い上がってきて、私は生まれて初めて臀部《でんぶ》に霜焼けができた。

　立て付けも悪く、戸の開け閉めにはコツが要った。どうしても鍵《かぎ》のかからない窓が一階にあって不用心だったが、私の旅行中、連れ合いは鍵をなくし、こ

っそりそこの窓から入ったことがあった。
隙間風《すきまかぜ》は侮れない、ということも知った。綿入れ半纏《ばんてん》を着てもまだ寒い。大きなガスストーブを買い込んで赤々と火を燃やした。隙間風にも効用があって、つまり常時換気していると考えればいい、と私どもは強がりを言っていたが。
北国では二重窓にしたりして、隙間風を防ぐが、東京は北国ではないので、そこまではしない。公園やガード下や川辺の枯れ葦《あし》の茂みの中に、青テントや段ボールハウスの人たちが、春を待つ植物のように越冬している。

## 北風《きたかぜ》

単に「**きた**」ともいう。北からの冷たい風。同意語に「**朔風**《さくふう》」「**北**《きた》**つむじ**」など。「朝北風《あさぎた》」は朝の、「大北風《おおぎた》」「大《おお》北風《ならい》」「鬼北風《おにきた》」は強風や暴風である北風をいう。冬の季語。

北風《きた》あたらし
マラソン少女髪撥《は》ねて
西東三鬼《さんき》

## 勁風《けいふう》

強い風の意。風が持続的に力を見せつけるのは冬であろう。

家康公逃げ廻りたる冬田打つ
富安風生《ふうせい》

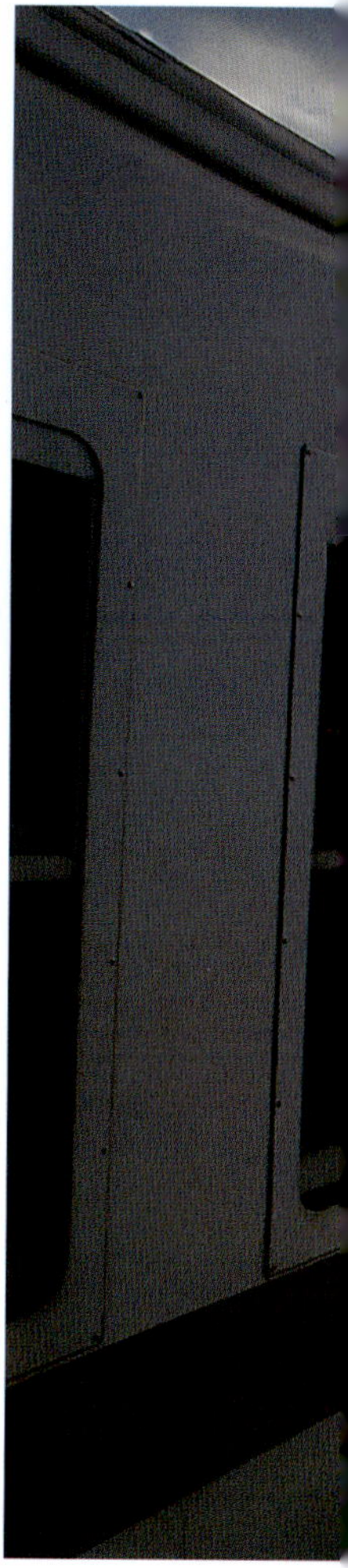

## 厳風《げんぷう》

厳しい冬の風。烈風。雪の少ない西日本では、風の強く吹く日は山に入る。梢《こずえ》は大荒れに荒れていても、林の中は別天地の静けさだ。今はもう風の音を聞きながら山仕事をする人も少ない。

## 朔風《さくふう》

「朔」は北方の意で、北から吹き寄せる風のこと。北風。

## 木枯《こが》らし

秋から初冬にかけて樹木を枯らすほどに吹き荒れる寒風。「凩《こがらし》」「木嵐《こがらし》」とも表記。冬の季語。

木がらしや
目刺にのこる海の色
芥川龍之介

こがらしの
かぜ吹き落ちて山上《さんじゃう》は
星まさやかに光れる夜なり
佐佐木信綱

# 雲松寺のギンナン



住まいの近くに通り抜けできる神社があり、銀杏《いちょう》の古木が何本もある。葉っぱが黄色く色づき、大風が吹いた直後には、ギンナンがたくさん落ちている。十個ほど拾うと、もう手が荒れている。近所の人たちは、と見れば軍手をつけている。

家に持ち帰って、きつい臭気のある皮を取り去り、核を洗い、干す。フライパンで煎《い》るときは、あらかじめ出刃包丁の背で、ちょんと割れ目を付けておくと、はじけて跳ぶことがない。

連れ合いの旧友の姫路・雲松寺の住職、高島正昔《しょうせき》さんが、寺で採ったギンナンを送ってきてくださった。「照一隅記」という檀家《だんか》に配っている葉書通信が付いていた。

それによると、正昔師は、二

年前、ギンナン洗いのため、肘《ひじ》を傷めて、しばらく木魚も叩《たた》けない状態になってしまわれたそうだ。寺に来た檀家の人にもれなく配りたいので、二百キロ近いギンナンを洗った。

洗濯機でかきまわして、皮をはがし、浮いてくるのを大きな業務用の網杓子《あみじゃくし》ですくいとるのが何百回もの作業になる。そのため肘が痛んだ。

「今年はありがたいことに、檀家の親切なある方が、工夫に工夫を重ねた分離機を作って届けてくれました。ハンドルを回せば器が傾き、浮いた皮は流れ出て核は残る仕組で、汲《く》み出す必要もなくこれで肘を傷めることもなくなりました。」

小春日和に、心あたたまるものをいただいた。

**浚風《さらいのかぜ》**　「**渫風《さらいのかぜ》**」とも書く。降り積もった雪などを吹き払う風。物を吹きさらってしまう風。

**篠《しの》の小《お》吹雪《ふぶき》**　「篠」は薄《すすき》や葦《あし》、細い竹など、なびき、しなうものをいう。薄などを吹く烈《はげ》しい風に雪が舞い散るさま。または薄の穂が吹雪のように散ること。

**風巻《しまき》**　「し」は風の意の古語で、吹きまくる烈風のこと。とくに海上の暴風や強風にあおられて飛び散る波しぶきや、雨、雪を含んで吹きつける烈風をいう。「風巻《しま》く」と動詞でも用いられる。冬の季語。

雪しまき人消え人の現はるる　上野　泰

**隙間風《すきまかぜ》**　戸、障子などの隙間から吹き込んでくる冷たい風のこと。「**透間風《すきまかぜ》**」とも書く。「**隙風《すきかぜ》**」「**ひまもる風《かぜ》**」は同意語。転じて、親密だった人との間に感情のへだたりができることをもいう。

**節東風《せちごち》**　旧暦の正月に何日も吹きつづける東風。立春を過ぎると「**雲雀東風《ひばりごち》**」というが、「雲雀東風」は晴天を、「節東風」は雨をもたらすといわれている。

## 玉風《たまかぜ》

「**たばかぜ**」とも呼ぶ。

冬の季節風のことだが、とくに若狭湾から東の日本海沿岸で吹く北西からの暴風を指すことが多い。名前は美しいが、出し抜けに強く吹く恐ろしい風である。柳田國男は『風位考』の中で、「タマは霊魂のことで、タマカゼは悪霊の吹かせる風と言ふ意味らしい」、また日本人は「霊魂の帰り行く方角を西北と考へて居た」と記している。

## ならい

東京湾などを中心として、東日本太平洋岸一帯でつかわれている言葉。冬の北西季節風が日本列島の脊梁《せきりょう》である山地を越え、山や川に沿って太平洋岸に吹き下りてくるもの。柳田國男は「ナライは乃《すなわ》ち山並《やまなみ》と同じ方向に、吹いて来る風であったと解せられる」と『風位考』の中に書いている。

地域によって風向きが異なり、必ずしも強い風ではない。「下総《しもうさ》ならい」「筑波《つくば》ならい」などのように土地の名前を冠して呼ばれることが多い。

「あかんぼならい」は春先、赤土を巻き上げ、空が赤くなるほどの風。「**ならいかぜ**」「**ならいこち**」「**ならひ**」はいずれも同意。

**初東風**《はつこち》　新年になって初めて吹く東風。初春の風。「初風《はつかぜ》」とともに新年の季語。

戸を繰るや

年の初風そよそよと　日野草城《そうじょう》

**吹雪**《ふぶき》　「**乱吹**《ふぶき》」の字を当てることもある。降雪や積雪に烈しい風がともなうもの。視界を奪われ、吹きまくものを「雪しまき」といった。

**冬風**《ふゆかぜ》　「**とうふう**」とも読み、冷たい冬の風を広くいう。類語に「**陰風**《いんぷう》」「**寒風**《かんぷう》」「**厳風**《げんぷう》」など。

# センベイが風邪ひいて



寒い時期に美容院へ行った後は風邪をひきやすい。髪に大型ドライヤーで熱風を吹きつけられ、まだほてった状態で、いきなり戸外へ出て冷気に触れるからだろう。

劇場も要注意。場内の空調設備のせいもあるが、「舞台風」なるもののしわざでもあるらしい。幕が上がると、舞台の上の温められていない空気が、人いきれのする客席に吹き下りてくるのである。それで風邪をひく。

センベイがしっけて、パリパリしなくなると、関西では「センベイが風邪ひきよった」というそうである。人でもセンベイでも外気が問題らしい。

江戸時代には、はやり風邪を追い払うために、風の神に見立

てた藁《わら》人形を串ざしにし、自分は消し炭などで顔を黒く塗り、太鼓や鉦《かね》などを鳴らして、金品をもらい歩く者がいたという。「おーくろ、送ろ、風の神を送ろ」と唱えたようである。

英語でもフランス語でも、呼吸器系のウイルス性・炎症性疾患であるところの風邪をひいた、というときは、原因の一つである「冷たさ」や「寒さ」を示す言葉を用いるが、この国の私たちは悪しき風の神のせいで、風邪をひくのであるらしい。

草野心平は「風邪には風」という詩を書いている。「あらゆる病共に対しては渦巻く熱烈で対陣するのだ。」と。風邪をひくのもなおるのも精神的な問題のようである。

## べっとう

東日本の太平洋岸で吹く北寄りの強風。この地方で台風時に吹く南寄りの風は「いなさ」と呼ばれるが、「べっとう」はその返しの北寄りの暴強風で、「いなさ返し」の性格をもつ。「**べっとう時化《じけ》**」「**べっとう風《かぜ》**」「**べっとうごち**」「**さがべっとう**」ともいう。小熊一人氏は『季語深耕［風］』の中で、「べっとう」とは、かつて農漁民を恐れさせた検非違使庁《けびいしちょう》や侍所《さぶらいどころ》の長官である「別当」のことではないかと述べている。

## 星《ほし》の出《で》入《い》り

陰暦十月中旬に吹く北東の風で「**星《ほし》の入《い》り東風《ごち》**」と同意。「星」は十月から十二月の東の空に高々と輝く六連星の昴星《すばるぼし》のこと。この星の出入りによって、日和が変わりやすいといわれる。

スバルけぶらせて寒星すべて揃ふ　山口誓子《せいし》

## 雪颪《ゆきおろし》

雪をまじえて山から吹き下ろす風。

## 雪風《ゆきかぜ》

雪まじりの風。雪や風。

雪女郎おそろし父の恋おそろし　中村草田男

## 冷風《れいふう》

冷たい風。冷え冷えとした風。今は夏期に、空調設備から人工の冷風が吐き出される。

# 木枯らしの名吟

晩秋・初冬に木の葉をさらうようにして強く吹く風は木枯らしであるが、「凩」という国字を当てることもある。本来の意味からすると「木嵐」だという説もあった。

和歌・短歌よりも俳句のほうに木枯らしの名吟があるようだが、優雅ならざる風は三十一文《みそひとも》字《じ》よりも十七字でもって活写されるものかもしれない。

凩の果はありけり海の音

果てもなく吹き荒れる木枯らしがやんだと思ったら、海鳴りがしている。遠のいたようだ。江戸時代、京都俳壇を牛耳っていた池西言水《ごんすい》の句で、「語尽キテ意尽キズ、至妙ナリ」と褒められ、以後「凩の言水」と称さ

れるようになった。

こがらしに二日の月の
　　ふきちるか

蕉門の俳人・山本荷兮《かけい》の作で、天までも威力をおよぼさんとする木枯らしに、吹き落とされそうなほそい月を配して、心憎いばかりだ。やはり「凩の荷兮」と称されたという。

海に出て木枯帰るところなし

山口誓子《せいし》の昭和十九年、戦時下の作。言水の凩は海面に失速していったと思われるが、誓子の木枯は、死にどころを求めて、咆哮《ほうこう》しやまない。

いまはどんな木枯らしが吹いているか。

## めぐる風

凧《たこ》になって
空の真ん中でふんばり

柳の葉になって
髪をくしけずり

鯉のぼりになって
口をあけ

葦毛《あしげ》の馬になって
たてがみとしっぽをなびかせ

カラスになって
勝手なことをして

桜の花になって
さよならと　ささやいて

# 季《とき》知らずの風

# 季知らずの風

## けふもいちにち風をあるいてきた

種田山頭火

種田山頭火《さんとうか》は明治十五年、山口県の大地主の長男に生まれたが、生家が破産。四十三歳のとき出家。以後九州、中国、四国を行乞《ぎょうこつ》して歩いた風狂の俳人である。

風狂とか風雅とか風流とかの「風」とは何だろう。漢和辞典で「風」を引いてみたところ、二十五通りの意味があった。

近そうなものを拾っていくと、「きだて」「かたぎ」がある。自

然界の影響で先天的の素質がつくられるのだそうだ。

『詩経』の六義《りくぎ》の一つ、民謡をいう、とも書かれている。風が物を動かすように、人を感化するゆえ、とある。「風雅」の「風」はこれらしい。ほかに様子や姿のこともいい、また曲のこともいうそうである。

風は目に見えないものだが、人であれ物であれ、それを容れるゆるやかな器を「風《ふう》」というのかもしれない。

私の連れ合いは小説家だが、少年時代、「野風道《のふんどう》」と母親に言われたそうだ。田野をわたる風のように、好き勝手なことばかりする人という意味だそうだ。そのうち「風格」が出てきてくれればいいが。

# 風の方位

●この項に関しては、東西南北の順に並べました。

**東風**《ひがしかぜ》　「とうふう」「こち」とも呼ぶ。東から吹く風。「こち」は〈春の風〉一五頁に詳述。

**極風**《きょくふう》　南北両極地方のおもに対流圏の下層に生じ、烈《はげ》しく変化する東寄りの風。周極風。極偏東風。

**滔風**《とうふう》　東から吹く風。「滔」は、はびこる、満ちる、うごくの意。

**坂東太郎**《ばんどうたろう》　関東地方を流れる利根川《とねがわ》の異称だが、転じて、埼玉県志木《しき》市などで、東の利根川の方向から吹く風をいう。

**偏東風**《へんとうふう》　赤道付近の低緯度地帯で吹く東寄りの風。

**貿易風**《ぼうえきふう》　中緯度高圧帯から、赤道付近の低圧帯に向かって吹く東寄りの風。地球の自転により、北半球では北東、南半球では南東の風となる。昔、貿易船がこの風を利用して航行したところから、この名がある。「恒風《こうふう》」「恒信風《こうしんふう》」ともいう。

**明庶風**《めいしょふう》　東風。「庶」は、ねがう、もろもろ、の意。東風が待ち望まれる風であることが多いからか。あるいは日の出の方角だからか。

**西風《にしかぜ》**　「せいふう」とも読む。西から吹く風。単に「にし」という地方は多い。「乞食袋《こじきぶくろ》と西の風は夕方になるほどふくらむ」という言い伝えがあるのは東日本で、「夫婦げんかと西風は夜になればおさまる」といわれるのは四国・九州を中心とする西日本である。

**男風《おとこかぜ》**　愛知県知多《ちた》郡で、西風。通常は、ひそかに通じている男の訪れなどをいう。

**泰風《たいふう》**　「泰」は、やすらか、ゆたか、ゆるやか、大きい、なめらか、といった意。西風。西風は物を豊かに成熟させることからいう。

**つっぱがし**　茨城県那珂湊《なかみなと》地方で、西の強風。阿武隈《あぶくま》南端の山なみにちぎれ雲がかかると、この風が吹くので、船舶は帰港を急ぐ。

# あわて者の『風博士』

坂口安吾《あんご》の出世作『風博士』（一九三一年）は、奇想天外な話である。この人物、逃げられはしたが妻もいたし、その後十七歳の美少女との結婚式を失念するなど、とんでもないことをしているが、風の化身であるらしい。

「偉大なる博士」は、はなはだあわて者だった。部屋の西南端の長椅子で本を読みふけっているかと思うと、次の瞬間には東北端のひじ掛け椅子ではげしく頁を繰っているという人である。そのために部屋の物すべてがこのあわただしさに「感化」されてしまうのだ。

「時計はいそがしく十三時を打ち、礼節正しい来客がもじもじして腰を下そうとしない時に椅

子は劇《はげ》しい癇癪《かんしゃく》を鳴らし、物体の描く陰影は突如太陽に向って走り出すのである。

「時には部屋の中央に一陣の竜巻が彼自身も亦《また》周章《あわ》てふためいて湧き起ることもあったのである。」

風は世界に無秩序の種をまいてゆく。すると時計は時計であることをやめてしまう。椅子は誰かをじっと待っていてはくれなくなる。影でさえ日にさからう。

閉塞状態に風穴をあけるというよりは、一挙に無政府状態になだれこむ痛快な解放感に満ちている。

風を通奏低音としたり、場面展開に用いる小説は多いが、風を主題にしたのは、宮沢賢治の『風の又三郎』とこの『風博士』くらいのものだろう。

**反対貿易風《はんたいぼうえきふう》**　貿易風の上層を吹く西寄りの風で、赤道付近から貿易風とは逆方向に吹く。北半球では南西、南半球では北西の風になる。

**偏西風《へんせいふう》**　中緯度地方の上空を西寄りに吹く風。

**南風《みなみかぜ》**　「なんぷう」「みなみ」とも呼ぶ。南から吹いてくる暖かい風。同意語の「はえ」は〈夏の風〉五九頁に詳述。

土佐はよい国　南をうけて
薩摩おろしが　そよそよと……
「よさこい節」

**巨風《きょふう》**　中国で、南風をいう。

**恵風《けいふう》**　草木に恵みを与え、生長させる、やさしい風。南風。

**下《さが》り**　「下《さが》り風《かぜ》」ともいい、風向きが南に回ること。山口県から西九州北部で用いられる。

**下《さが》り西《にし》**　南西風か西南西風。「**はえにし**」ともいう。

## 地下《じくだ》り

北国で、南風をいう。

地下りに轍《わだち》はてなき市の中　　獲車

## しら

土佐《とさ》（高知県）を中心とする南四国でつかわれる南西寄りの暴強風。「土佐でこわいは横目かシラか」と恐れられる。「横目」とは旧幕藩時代の横目付《よこめつけ》で、検察調査官のこと。土佐以外ではこの風のことを「**とさ**」と呼ぶ。土佐から船と人が流れていったのだろう。

## つなみ風《かぜ》

南東の風。埼玉県加須《かぞ》市でいう。また、群馬県前橋市などでは「**つなみ**」という。

## 南西風《なんせいふう》

南西から吹く風。

**南東風《なんとうふう》**　南東から吹く風。東南風。同意語の「**いなさ**」は〈夏の風〉四〇頁に詳述。

**富士南《ふじみなみ》**　関東地方で、南西の風をいう。千葉県印旛《いんば》郡では「**富士南《ふじみなみ》の風《かぜ》**」「**富士《ふじ》**」、茨城県では「**富士方《ふじかた》**」、同行方《なめがた》郡では「**富士西《ふじにし》**」ともいわれ、漁に悪い風、埼玉県入間《いるま》市では「**富士風《ふじかぜ》**」といわれた。

**やまじ**　「**やまぜ**」ともいう。南寄りの強風。瀬戸内中西部を中心とする西日本で多くつかわれる。春には頭痛風、台風時には危険な風となる。

**北風《きた》**　「**ほくふう**」「**きた**」とも呼ばれ、文字通り北から吹く風。「**北風《きたかぜ》**」は〈冬の風〉一一二頁に詳述。

## 戌《いぬ》亥《い》

方位を十二支に当て、子《ね》を北とすると、戌と亥の中間は北西となる。北西の風。

## 丑寅風《うしとらかぜ》

北東の風。方位を十二支に当て、子《ね》を北とすると、丑と寅の中間は北東になる。地方によっては「丑寅《うしとら》」「丑寅東風《うしとらごち》」「丑《うし》寅《とら》もの」ともいう。

## 北打《きたうち》

北風。笞《むち》か平手で打ちつけるように厳しく吹きかかる。

## 北気《きたげ》

北風。古語でもあるが、茨城県那珂湊あたりの言葉。京都府竹野《たけの》郡では「**きたけ**」。また同地では、北風にともなう時雨《しぐれ》をもいう。

真柴刈り庵さし宿る宮城野に
きたけを寒み雪ふりにけり
蓮忠《れんちゅう》

## 広莫風《こうばくふう》

北方の風。広莫とは、広く、大きく、はるかなこと。中国で、北方の曠野《こうや》から吹く風をいう。

## 北西風《ほくせいふう》

北西から吹く風。

## 北東風《ほくとうふう》

北東から吹く風。

## 八風《はちふう》

「はっぷう」とも。八方からの風を示す仏語。諸説があるが、『淮南子《えなんじ》』によれば、東の風は條《じょう》風《ふう》、東南は景風《けいふう》、南は巨風《きょふう》、西南は涼《りょう》風《ふう》、西は飂風《りゅうふう》、西北は麗風《れいふう》、北は寒風《かんぷう》、東北は炎風《えんぷう》とする。

また「八」は方角ではなく、一年の八節――立春、春分、立夏、夏至、立秋、秋分、立冬、冬至のそれぞれの時季に吹く風の名の総称とする説もある。

# 東と西

「東」の語源は「ひむかし」だそうだ。日向かし、だろうか。「西」の「に」は「去《い》に」の「い」の脱落に、風の古語である「し」が付いたものだという。去るのはもちろん、お日さまである。「東」の「し」も風であるとみていいのではないだろうか。

風の古語は「し」のほかに「ち」「せ」があるという。「嵐」「東風《こち》」「はやち」「やませ」などという言葉の中に、むかしの風のしっぽが残っている。

むかし風向きは東西が基準で、東南の風とか西北の風というように、東西を頭に付けた言い方をした。いまは世界的な航海の関係で、南北が基準になっているという。つまり地球的な規模で風を考えるようになったとい

うことか。

地球上には大規模な風系がある。中緯度地方から南北の極へ、あるいは赤道地方へ吹く風系がそれである。これらの流れが地球の自転により、それぞれ偏西風となり、貿易風（東寄りの風）となるそうだ。

東風、西風を吹かせるのは、地球の南北の極が作用しているのだと考えれば、風の名前については南北優位といえるかもしれない。しかし東と西、それぞれ風の意味を含む言葉が南北の下位に甘んずることになったのは、ちょっと不満である。

# 風の道

### 飛鳥風《あすかかぜ》

「**明日香風《あすかかぜ》**」とも書く。大和（奈良県）の明日香地方を吹く風をいった。

采女《うねめ》の袖吹きかへす明日香風
都を遠みいたづらに吹く
志貴皇子《しきのみこ》

### 天《あま》つ風《かぜ》

空高く吹く風。類語に「**天《あま》つ嵐《あらし》**」。

あまつかぜ雲のかよひぢ吹きとぢよ
をとめのすがたしばしとどめん
遍昭《へんじょう》

### 家風《いえかぜ》

自分の家のほうから吹いてくる風。

家風は日に日に吹けど我妹子《わぎもこ》が
家言《いへごと》持ちてくる人もなし
丸子大歳

「家言」は家人からの伝言。

### 伊香保風《いかほかぜ》

上野国《こうずけ》伊香保嶺《いかほね》（群馬県榛名山《はるなさん》）から吹いてくる風。「**榛名颪《はるなおろし》**」。いわゆる上州の空《から》っ風《かぜ》である。『万葉集』東歌《あずまうた》に次の歌がある。

伊香保風
吹く日吹かぬ日ありと言へど
吾が恋のみし時無かりけり
（よみ人しらず）

### いせち

伊勢風の意か。山陰地方東部の海岸部で、南東つまり伊勢の方向から吹いてくる暴強風をいう。愛知県西春日井《にしかすがい》郡では南南西の風を「**いせ二郎**」と呼ぶ。渥美《あつみ》郡では伊勢神宮背後の神山《こうやま》から吹く南西風を「**こうやま**」と呼ぶ。

### 磯松風《いそまつかぜ》

磯辺の松を吹き過ぎる風。

### 海風《うみかぜ》
春から秋までの快晴の日の昼間、沖のほうから吹いてくる風。

### 浦風《うらかぜ》
浦、つまり海辺を吹く風。「浦越《うらこし》」は、浦のほうから陸へ吹き上げてくる風。室町時代の『言《ごん》塵集《じんしゅう》』に「哀なる風と也」とある。「浦《うら》山風《やまかぜ》」は、浦にある山に吹く。

### 上風《うわかぜ》
草木などの上を吹き渡ってゆく風。和歌では、「荻《おぎ》の上風」などと用いられた。

秋はなを夕まぐれこそただならね
荻の上かせ萩の下露　義孝

### 枝切風《えだきるかぜ》
木の枝をよぎる風。

山桜えだきる風のなごりなく
花をさながらわがものにする　西行

### 追風《おいかぜ》
「**おいて**」とも呼ぶ。船などの進もうとする方向に吹く風。背後から後押しするような具合になる。「**背風《はいふう》**」。

### 扇《おうぎ》の風《かぜ》
「**扇《おうぎ》の手風《てかぜ》**」ともいう。扇であおいで起こす風。

### 沖《おき》つ風《かぜ》
「**奥《おき》つ風《かぜ》**」とも書く。沖のほうを、または沖のほうから吹いてくる風。「辺《へ》つ風《かぜ》」と対をなす。「**おきつ潮風《しおかぜ》**」ともいう。「おきつ嵐《あらし》」は沖のほうを吹きすさぶ嵐。「おきつ春風《はるかぜ》」は沖のほうを吹く春風。

### 祖風《おやかぜ》
青森県東津軽《ひがしつがる》郡で、陸から海へ向かって吹く風をいった。下北《しもきた》郡では、風向きは問わず、もっとも強い風。どこかに祖霊を思わせる風か。単に「**親風《おやかぜ》**」とも書く。

### 颪《おろし》
おもに山地から吹き下ろす風。「**颪《おろし》の風《かぜ》**」ともいう。地形や気象などを冠していうこともある。たとえば「山颪《やまおろし》」「谷颪《たにおろし》」「川颪《かわおろし》」「島颪《しまおろし》」「雪嶺颪《ゆきねおろし》」「しまき颪《おろし》」「深山颪《みやまおろし》」など。

### 海風《かいふう》
「**うみかぜ**」とも呼ぶ。海岸地方で、日の出約二時間後から夕方まで、海上から陸地に向かって吹く風。陸地がもっとも熱を帯びている午後二〜三時ころに顕著である。「**海軟風《かいなんぷう》**」ともいう。

### 海陸風《かいりくふう》
「海風《かいふう》」と「陸風《りくふう》」とをともにいう言葉。

**反《かえ》しの風《かぜ》**　「**返《かえ》しの風《かぜ》**」とも。それまでとは逆方向に吹く風。または、雲を吹きかえし、晴れ間を見せる風。「**返《かえ》し風《かぜ》**」ともいう。「かえしの嵐《あらし》」は、おさまるかに見えた嵐がまたひとしきり烈《はげ》しくなること。

**川風《かわかぜ》**　川面を吹き渡る風。または川から吹く風。「**江風《こうふう》**」ともいう。「川嵐《かわあらし》」は日暮れどきなど川面に吹きすさぶ風。

**河原風《かわらかぜ》**　河原を、あるいは河原から吹く風。

**岸風《がんぷう》**　岸辺を吹く風。

**逆風《ぎゃくふう》**　進行方向から吹きつける風。向かい風。「**闘風《とうふう》**」ともいう。「順風《じゅんぷう》」の反対語。

**局地風《きょくちふう》**　地形などの影響で、局地的な特色をもつ風。「**地方風**」ともいい、その地方の名を付けて呼ばれることが多い。たとえば「**清川《きよかわ》だし**」は、山形県東田川《ひがしたがわ》郡立川《たちかわ》町清川付近に、梅雨どきに多く発生する。最上《もがみ》川が山間部から庄内《しょうない》平野に出たあたりに吹く、東寄りの強風である。「**広戸風《ひろとかぜ》**」は、台風の通過にともない、岡山県勝田《かつた》郡那岐山《なぎさん》南麓に吹く北寄りの暴風。夜間に強くなるという。そのほか、以下のようなものが知られている。

**寿都《すっつ》だし**　北海道寿都付近。

**羅臼風《らうすかぜ》**　北海道知床《しれとこ》半島南東岸。

**ルシャ風《かぜ》**　北海道知床半島北西部。

**十勝風《とかちかぜ》**　北海道十勝平野。

**オロマップ風《かぜ》**　北海道日高南部。

**日高《ひだか》しも風《かぜ》**　北海道日高山脈の西麓。

**生保内《おぼね》だし**　秋田県仙北《せんぼく》郡田沢湖町生保内《おぼない》付近。

**三面《みおもて》だし**　三面・荒川付近。「荒川《あらかわ》だし」ともいう。新潟県岩船郡

**井波風《いなみかぜ》**　富山県礪波《となみ》平野。

**平野風《ひらのかぜ》**　奈良県吉野郡北東部。

**やまじ風《かぜ》**　愛媛県宇摩《うま》郡法皇山麓。

**わたくし風《かぜ》**　愛媛県宇和島市付近。

**やまえだ**　鳥取県境港市《さかいみなと》弓ケ浜。

**まつぼり風《かぜ》**　熊本県阿蘇火口瀬の立野付近。

## 葛《くず》の裏風《うらかぜ》

「葛」はマメ科のつる性多年草。山野に自生する。風が葛の白い葉裏をひるがえすのが目に立つところからいう。「葛の葉の」は、「うらみ」「うら」「かへる」の枕詞《まくらことば》。

うつろはでしばししのだの森をみよ
かへりもぞする葛のうらかぜ
和泉式部

「葛の上風《うわかぜ》」は葛の葉の上を、「葛の下風《したかぜ》」は下を吹く風で、これらも歌に詠まれた。

## 高風《こうふう》

空の高いところを吹く風。転じて人の風格のすぐれたさま。

## 木《こ》の下風《したかぜ》

木の下を吹き過ぎる風。

## 佐保風《さほかぜ》

佐保は、平城京の大宮《おおみや》人《びと》が住まっていた地で、現在の奈良市北部。そのあたりを吹いた風。歌語。

吾がせこが著る衣薄し佐保風は
いたくな吹きそ家にいたるまで
大伴坂上郎女《おおとものさかのうえのいらつめ》

**潮追風**《しおおいかぜ》　潮の干満にしたがって、それと同じ方向に吹く風。

**潮風**《しおかぜ》　「うしおかぜ」とも。海や海岸近くを吹く塩気を含んだ風。「海風《かいふう》」「浦風《うらかぜ》」「浜風《はまかぜ》」ともいう。

**下風**《したかぜ》　地面や水面に近いところを吹き渡る風。神奈川県横須賀市走水《はしりみず》では東風、同浦賀《うらが》では南西風をいった。三重県鳥羽《とば》市で「下の風《したかぜ》」というと、東風である。

**島風**《しまかぜ》　島を吹き渡る風。または島から吹く風。「島颪《しまおろし》」は島から吹き下ろす強風。

**順風**《じゅんぷう》　進もうとする方向に吹く風。「順風満帆《まんぱん》」の元の意味は、船の帆走に好都合の風のことだが、転じて、機会をとらえて順調に行くことのたとえでもある。

**松濤**《しょうとう》　松に吹く風が、波の音のように聞こえるところからいう。「松風《しょうふう》」「松籟《しょうらい》」「松韻《しょういん》」「松声《しょうせい》」ともいう。

**翔風**《しょうふう》　吹き回しの風をいう。

**信風**《しんぷう》　季節風のこと。『続日本紀《しょくにほんぎ》』に、遣唐使船《けんとうしせん》が肥前国（佐賀・長崎県の一部）松浦《まつら》郡に八月、到り着いたが、「信風」が吹かず、秋になったという記述がある。夏には海から中国大陸に、冬にはその逆に吹く。

**水風**《すいふう》　水上を吹く風。

**関風**《せきかぜ》　関所、あるいは関路を吹く風。関所とは旅をする者の心根が試される場でもある。「勧進帳《かんじんちょう》」を引くまでもなく、「何者」で「何の目的」で「どこへ」……。関風とは単に現実の風ではなく、不安や安堵《あんど》、旅人の心の内を吹く風でもある。

　相坂《あふさか》の関のせきかぜ吹く声は
　むかし聞きしにかはらざりけり
　　　　　　　　　　　　『更級日記』

**袖の羽風**《そでのはかぜ》　衣の袖を振るときに起こる風を、鳥が羽ばたくときに起こる風にたとえたもの。単に「羽風《はかぜ》」ともいう。

**出風《だしかぜ》** 陸地から海へ向かって吹くので、船を出すのに好都合の風。「**だし**」「**だしの風《かぜ》**」ともいう。

**谷風《たにかぜ》** 谷からの風。日中、谷底の冷たい空気が、暖まった山の斜面を吹きのぼるもの。

谷風にとくる氷のひまごとに
打ち出づるなみやはるのはつ花
源当純

**昼夜風《ちゅうやかぜ》** 昼と夜とで向きが反対になる風。「**海陸風《かいりくふう》**」「**山谷風《やまたにかぜ》**」がその例である。

**天風《てんぷう》** 天高く吹く風。「**天《あま》つ風《かぜ》**」ともいう。「**天飆《てんぴょう》**」は、天高く吹き荒れる強風。

**床《とこ》の秋風《あきかぜ》** 寝床に吹いてくる風。

わさ田もる床の秋風吹きそめて
かりねさひしき月をみる哉
藤原秀能

**床《とこ》の浦風《うらかぜ》** 寝床を浦に見立てていう。寝所に吹く風。近江《おうみ》国に鳥籠《とこ》の浦《うら》があり、それに掛けてうたわれたこともあった。

わが袖にむなしき浪はかけそめつ
契《ちぎり》もしらぬとこのうら風
藤原定家

**波風《なみかぜ》** 波が立つほどの強風。波と風。転じて、世の中や人間関係がぎくしゃくし、争いが起こることをいう。

**鳰《にお》の浦風《うらかぜ》** 「**鳰**」は、かいつぶりの古名。鳰の海といえば、琵琶《びわ》湖の別称であるので、琵琶湖の上を吹く風のこと。

**沼風《ぬまかぜ》** 沼の上を吹き過ぎる風。

**嶺渡《ねわたし》** 高嶺から吹き下ろす風。高嶺から高嶺へとほぼ水平方向に渡る風をもいう。

**野風《のかぜ》** 「**やふう**」ともいう。野原を吹き渡る風。野づらを吹く涼風をもいう。「**野良風《のらかぜ》**」ともいう。

たづぬれば花のつゆのみこぼれつつ
野風にたぐふまつむしの声
藤原定家

**軒《のき》の下風《したかぜ》** 軒下に吹き入る風。また軒下から吹き込んでくる風。

**葉風《はかぜ》** 草木の葉を吹く風。カサコソと葉を吹き鳴らす風。類語に「**葉分《はわけ》の風《かぜ》**」。こちらは葉と葉の間を分けて吹く風のこと。

**羽風《はかぜ》** 鳥や虫などの羽ばたきによって起こる風。舞い踊る人の振る袖から生じる風。

**初瀬風《はつせのかぜ》** 「**泊瀬風《はつせのかぜ》**」とも記す。大和国初瀬、現在の奈良県桜井市を流れる初瀬川の渓谷のあたりを吹く風。

泊瀬風かく吹く宵は何時《いつ》までか
衣片敷き吾が独り寝む
（よみ人しらず『万葉集』）

**ビル風《かぜ》** 高層ビル街の真下の道や広場などで起こる強風や乱気流で、季節は問わない。二十世紀の風。

言水《ごんすい》も荷兮《かけい》も知らぬビルの風

**蘋風《ひんぷう》** 「蘋」は浮草。浮草をそよがせる風。また浮草の香りをもいう。

**不定風《ふていふう》** 風向き、風速ともに定まらない風。

**便所風《べんじょかぜ》** 汲み取り式の便所で、下の穴から吹き上がってくる冷たい風。もうほとんど見られなくなった。

冱《い》て返る夜に糞する便所風　車谷《くるまたに》 長吉《ちょうきつ》

およう の尼が砧《きぬた》うつらん　雪丸

**帆風《ほかぜ》** 船の帆に当たって、前方へ進める風。「**追風《おいかぜ》**」「**順風《じゅんぷう》**」と同意。船頭の舟唄も調子があがる。

**松風《まつかぜ》** 松を吹く風。松の梢《こずえ》を鳴らす風。「**しょうふう**」ともいう。

**松風《まつかぜ》**

立ち別れいなばの山の峯に生《お》ふ
まつとし聞かば今かへり来ん

『古今集』在原行平《ありはらのゆきひら》朝臣《あそん》の歌を柱に据えた世阿弥作の能の名曲。行平配流の須磨の浦で、松風・村雨の姉妹が一夜かつての愛人行平を偲《しの》んで舞い狂う。「夢も跡なく夜も明けて……松風ばかりや残るらん」。

**港風《みなとかぜ》** 港およびその周辺を吹く風。「港風」はどこか淡谷のり子の世界、「湊風《みなとかぜ》」とくれば鳥羽一郎、ともに漢字のマジック。

**向風《むかいかぜ》** 「**むこうかぜ**」「**こうふう**」「**きょうふう**」ともいう。進もうとする方角から吹いてくる風。反対語は「追風《おいかぜ》」。

**矢風《やかぜ》**　射られた矢が飛んでゆくときに起こる風。また風を切って矢が唸《うな》り飛ぶこと。

**山風《やまかぜ》**　山中の風。「山下風《やまのしたかぜ》」「山颪《やまおろし》」ともいい、山頂から吹き下ろす風、または夜間、放射冷却によって谷間で冷えた空気が平地に向かって吹き上がる風などの総称でもある。「**やまじ**」と読んで、夏から秋にかけて、山から吹き下ろしてくる風をいうこともある。〈秋の風〉九四頁参照。

響きくる松のうれより吹きおちて
草に声やむ山の下風
伏見院

**山谷風《やまたにかぜ》**　山の斜面に沿って、夜間は山頂から吹き下ろす「山風《やまかぜ》」と、日中は谷から吹き上げる「谷風《たにかぜ》」とが一日のうちに循環するのをまとめていう語。晴れた微風の日によく観察される。

**横風《よこかぜ》**　「よこかぜ」は、横手のほうから吹く風。「横風《よこしまかぜ》」は横なぐりに吹きつける暴風。どこかに命名者の風に対する憎々しさが感じられる。

**蓬《よもぎ》生《ふ》嵐《あらし》**　蓬などが生い茂って荒れたところを吹きすさぶ嵐。

**四《よ》方《も》の嵐《あらし》**　周りを吹きすさぶ嵐。転じて浮世の風波をもいう。

花はみなよものあらしにさそはれて
ひとりや春のけふはゆくらむ
藤原俊成《しゅんぜい》

**陸風《りくふう》**　夜間に海岸付近で、陸から海へ向かって吹く風。陸上のほうが海上よりも早く気温が低下するためである。それが快い微風の場合は「陸軟風《りくなんぷう》」ともいう。「海風《かいふう》」「海軟風《かいなんぷう》」は対語。

**凌風《りょうふう》**　「陵風《りょうふう》」とも。風をもしのいで空高く行くことをいうが、高く吹く風をもいう。

# 風の地名

吉野正敏氏の『風の世界』によると、気候に関する地名のうち、日本でいちばん多いのが「日」の付く名で、桁外《けたはず》れに多いそうだ。次が「風」「吹」「雲」の順である（二〇万分の一の地形図による）。峠、谷、沢、山、岬、島など、風が強い場所ゆえに、風の一字をその名にもつところが多いというのも納得される。

「寒風山《かんぷうざん》」という男鹿《おが》半島のなだらかな山（三五五メートル）に、夏のころ登ったことがある。奈良の若草山《わかくさやま》（三四二メートル）に似た優しさと思ったが、冬は北西季節風が容赦なく吹きつけるのだろう。奥羽山脈の山形・宮城県境にも同名の山がある。

峠は、風が谷を上がってきて、越え、もう一方の谷に下ってゆ

くところなので、上記の本によると、「風ケ峠」「風越《かざこし》峠」「風《かざ》吹《ふき》峠」「寒風峠《さむかぜごえ》」「風谷峠」「吹《ふっ》腰《こし》ノ峠」（吹越から転じた）などがあり、その実態を表している。筑波山《つくばさん》南東の「風返《かざかえし》峠」は、高度があって、風が越えられずに引き返すそうだ。

風の地名の分布図が掲載されているが、ほぼ日本全土にわたっている。私の古里の辺りにも印が付いている。「屏風《びょうぶ》ケ《が》浦《うら》」。潮風と荒波に立ち向かっている屏風のような断崖《だんがい》である。

# 風の時間

## 朝風《あさかぜ》

朝吹く風。日の出後しばらく、海辺では陸から海上へ、山間部では頂から谷に向かって吹く。朝方に烈しく吹き荒れる風は「朝嵐《あさあらし》」、北風は「朝北《あさぎた》」、戸を開けた瞬間に吹き込んでくる風は「朝戸風《あさとかぜ》」という。

まはだかに母の柩《ひつぎ》はあらはれて
朝風さむく吹きすぎにけり
松倉米吉《よねきち》

## 雨風《あまかぜ》

今にも雨が降りそうな、湿気が多い風。または現在雨を降らせている風のこと。

日本そば、ラーメン、カレー、酒と何でもありの食堂を「雨風《あめかぜ》食堂」という。徳島県の小松島港には「雨風」という名の料亭がある。雨風の日は休漁、港町ならではの名かもしれない。

**一陣《いちじん》の風《かぜ》**　一気に、さっと、にわかに吹く風。指し物や陣幕をはためかせて、どこか緊張を促す風か。

**季節風《きせつふう》**　「**気候風《きこうふう》**」「**モンスーン**」ともいい、季節によって、常に一定の方向から吹く風。日本列島には、冬は乾燥したシベリア寒気団が北西季節風をもたらす。

**急風《きゅうふう》**　急に吹いてきてすぐに止《や》んでしまう強風。「**疾風《しっぷう》**」と同意。

**暁風《ぎょうふう》**　夜明けに吹く風。「**曙風《しょふう》**」「**晨風《しんぷう》**」「**旦風《たんぷう》**」に同意。

**小夜嵐《さよあらし》**　「さよのあらし」とも読み、夜吹き荒れる嵐。「夜嵐《よあらし》」ともいう。

**疾風《しっぷう》**　勢いよく吹き過ぎていく風。速い風。「はやて」と同意。気象上の「風力階級」5の風で、風速八・〇〜一〇・七メートル。木の枝が動き、海面全体に白波が立つ程度。

**終風《しゅうふう》**　一日中吹きつづける風のこと。

**少女風《しょうじょふう》**　雨が降りそうなとき、降る前に、それと告げる微風、やさしい風。中国伝来の言葉。

**少男風《しょうだんふう》**　雨が降りだすとき、降る直前、急に吹きだす風。降る前の微風「少女風《しょうじょふう》」の対語。

**衝風《しょうふう》**　にわかに吹き起こる風。「突風《とっぷう》」のこと。

**迅風《じんぷう》**　勢いよく吹き過ぎる風。「迅飆《じんぴょう》」に同意。

**定期風《ていきふう》**　「季節風《きせつふう》」や「海陸風《かいりくふう》」のように、時の移り変わりによって風向きが変わる風。

**時津風**《ときつかぜ》　時節にふさわしい風。ちょうどよいときに吹く風。また潮が満ちてくるころ吹く風。

**突風**《とっぷう》　急に吹きだしてすぐにおさまる風で、寒冷前線にともなって起こることが多い。

**はやて**　「**はやち**」または「**はやち風**」とも呼ばれる。「**疾風**《しっぷう》」「**急風**《きゅうふう》」「**にわか風**」と同意。「其風の起る方暗く雲の色赤黄になる、船を其方に向け楫《かじ》の廻らざるやうにすべし」（幸田露伴『水上語彙』）

**晩風**《ばんぷう》　夕方、晩にかけて吹く風。

**飄風**《ひょうふう》　にわかに烈しく吹きはじめる風。

**日和風**《ひよりかぜ》 よい日和になる風。天気が回復する兆《きざ》しの風。

**夕風**《ゆうかぜ》 夕べの風。夕方になると吹いてくる風。「夕嵐《ゆうあらし》」は夕べの嵐。**夕下風**《ゆうしたかぜ》は夕方、地を這《は》うように低く吹く風。そのほか「夕山颪《ゆうやまおろし》」「夕山《ゆうやま》風《かぜ》」「晩風《ばんぷう》」などがある。

夕風や水青鷺《あおさぎ》の脛《はぎ》をうつ　与謝蕪村

**夜風**《よかぜ》 夜吹く風。夜の風。漢詩では「やふう」と読む。

飛鳥川川音たかしうばたまの
よかぜぞ寒き雪ぞ降るらし　大伴家持《やかもち》

**余風**《よふう》 大風の後、その名残のように、なおしばらく吹いている強風。

# 風の地名

秋田県能代市生まれの詩人・原田亘子《のぶこ》さんの詩集『天のかざぐるま』の中に「風を抱く」という詩がある。ところどころ引用させていただく。

かそせ、と聞いて地図を開く
と
生まれた土地と
海岸線でゆるやかにつながっ
ていた
「風合瀬」
おまえの生まれた日も

風の強い日だった、と祖母が
いっていた

「海岸線」には五能《ごのう》線が通っている。「風合瀬」は青森県西津軽郡深浦町。「かそせ」、いかにも海の風の落ち合う場所にふさわしいひびきである。

海岸線を走る汽車に乗って

風合瀬の方角から
わかめ売りにきていた海女《あま》たちの
遠い声が
母親になった私の耳朶《じだ》を
ふいに打つことがある

原田さんはいまは東京在住だが、古里の風が時々耳元に訪れるのである。カサカサ、とかそけき音をたてて、しかし強い力で胸もとを押してくるのである。

風合瀬という地名に
吹きあれる風を
台所の隅でひっそりと
抱きしめる

# 大風小風

## あからしまかぜ

「あらしまかぜ」ともいい、荒々しく吹きまくる風。「**はやて**」。「**暴風**」。『神《じん》武紀《むき》』に、「海中にしてにはかにあからしまかぜにあひて」とある。

**悪風**《あくふう》　海上などで荒れ狂う風。嵐。暴風。また、毒気を含み、人に災いをもたらす風や、臭い息のことをもいう。転じて、悪習や悪弊《あくへい》のこと。

**嵐**《あらし》　もともとは山気、山に立ちこめる靄《もや》のようなものをいったが、のち「**山嵐**《やまおろし》」など、荒く吹く風をいうようになり、暴風、強風の意に用いられるようになった。和歌では「有らじ」と掛け詞で用いられることがある。

かれはてて我よりほかに問ふ人も
あらしのかぜをいかが聞くらん
和泉式部

**永祚風**《えいそのかぜ》　永祚元年（九八九）の雷をともなった大風。『扶桑略記《ふそうりゃっき》』に大風の例として挙げられている。

**大風**《おおかぜ》 「たいふう」とも読む。激しく吹き荒れる風。よく知られている諺《ことわざ》に「大風《おおかぜ》が吹けば桶屋《おけや》が儲《もう》かる」というのがあるが、思いがけないところに因果が及ぶ意。「大風《おおかぜ》の吹いた後のよう」とは、騒がしかったのが急に静かになるたとえ。たとえば孫たちの来訪の後の老夫婦の台詞《せりふ》である。「大風《たいふう》」は中国で、西風の異名。

**回風**《かいふう》 「つむじ風」「旋風《せんぷう》」の同意語。ぐるぐる回りながら吹く意。

**逆旋風**《ぎゃくせんぷう》 高気圧系の中心から螺《ら》旋《せん》状に流れ出す風。北半球では時計回り、南半球では逆回りである。

**狂飆**《きょうひょう》 荒れ狂う風。「飆」はつむじ風、舞い上がる風、暴風のこと。類語に「勁飆《けいひょう》」「驚風《きょうふう》」「驚飆《きょうひょう》」「飆風《ひょうふう》」。

**強風**《きょうふう》 強い風。樹木全体が揺れ、風に向かうと歩行困難となる。気象上の「風力階級」7の風で、風速一三・九〜一七・一メートル。

**狂風《きょうふう》**　荒れ狂う風。転じて、尋常でないふるまいをよしとする風潮に対して用いられる。

**驚風《きょうふう》**　にわかに吹きつのる風。

**颶風《ぐふう》**　強く烈しい風。暴風。旋風。烈風。「熱帯颶風《ねったいぐふう》」は熱帯低気圧の発達したもので、その強力なものが台風である。温帯低気圧の場合は「温帯颶風《おんたいぐふう》」「温帯旋風《おんたいせんぷう》」と呼ばれる。

**荒風《こうふう》**　荒れ風。荒々しい風。

**小風《こかぜ》**　わずかな風。そよ風。微風。

**黒風《こくふう》**　空を暗くするほど、いちめんに砂塵《さじん》を巻き上げる旋風。「黒風白雨《こくふうはくう》」は暴風雨のこと。

**風巻《しまき》**　「し」は風の意。烈しく吹きまくる風。雨や雪などを含むこともある。また、海上にあって、烈しい風にあおられて飛び散る波しぶきをいう。

**凄風《せいふう》**　「凄風《せいふう》」の文字を当てることもある。すさまじく不気味な風。

**旋風《せんぷう》**　渦巻き状にぐるぐる回って吹く風。竜巻の弱いもの。つむじ風。つじ風。類語に「舞風《まいかぜ》」「結《けっ》風《ぷう》」「旋飆《せんぴょう》」「旋嵐《せんらん》」「旋嵐風《せんらんふう》」「飄風《ひょうふう》」「飆風《ひょうふう》」など。転じて、突発的で、しかも社会に動揺を与え、影響力をもつ事件の形容に用いる。

**颴風《せんぷう》**　温帯・寒帯地方に発生する移動性の低気圧系の渦巻き状の風。北半球では時計回り、南半球では逆回り。直径二千キロメートルに及ぶものもある。初夏には梅雨を、冬には日本海沿岸に雪をもたらす。サイクロン。

**そよ風《かぜ》**　そよそよと軽やかに吹く風。「緩風《かんぷう》」「軽風《けいふう》」「微風《びふう》」も、そよ風の仲間である。

**頽風《たいふう》** 荒々しく吹く風。はやて。暴風。気風・風俗の意味に用いられるときは、頽廃《たいはい》した、不健全な様子をいう。

**竜巻《たつまき》** まっ黒な積乱雲の下方が漏《ろう》斗《と》状に、竜を思わせるように垂れ下がり、地上や海面に達して烈しく渦を巻く旋風。海水、船、砂、家屋、人や車などを空中に巻き上げ、大きな被害をもたらす。

**軟風《なんぷう》** なよやかに、やわらかく吹く風。「**なよかぜ**」とも。気象上の「風力階級」3の風で、風速三・四〜五・四メートル。また「陸軟風」「海軟風」の総称。転じて、軟弱な気風を表す。

**難風《なんぷう》** 航行する船舶にとって危険な暴風。

**微風《びふう》** かすかに吹く風。そよ風。

**毘嵐婆《びらんば》** 仏教用語で、世界の生成する劫初《ごうしょ》、および世界の壊滅する劫末《ごうまつ》に吹くという大暴風。「**毘嵐《びらん》**」「**毘嵐風《びらんぷう》**」「**毘嵐婆風《びらんばふう》**」ともいう。

**扶揺《ふよう》** 「**扶揺風《ふようかぜ》**」ともいう。扶揺は神木の名。「ｈｕｙｏ」を反切《はんせつ》という方法、つまり上の字の頭の子音と下の字の韻を合わせて示すと、「ｈｙｏ」となり、その音に「飆」を当て、暴風の意味で用いられる。

**暴風《ぼうふう》** 荒れ狂う風。嵐。雨をともなう場合は暴風雨となって、大きな被害を及ぼす。平均風速が陸上で二〇メートル、海上で二五メートル以上になると予想されるときは暴風警報が出される。「**暴風《あらしまかぜ》**」「**暴風《あらしまかぜ》**」ともいわれた。類語に「**猛風《もうふう》**」。

**盲風《もうふう》** 吹き荒れる風。大風のこと。

**雄風《ゆうふう》** 勢いがよい風。大風。気象上の「風力階級」6の風で、風速一〇・八〜一三・八メートル。大枝が動き、電線が唸《うな》るほど。

## 羊角《ようかく》

「羊角風《ようかくふう》」とも。辞書に「羊の角のように、曲がって吹く風をいう」とあるが、ちょっとイメージが湧《わ》かない。角笛やホルンのように渦を巻いて吹く風のことか。少しだけ牧歌的な気分。今度、羊飼いに会ったら聞いてみよう。

## 落風《らくふう》

花を吹き散らす強風。今日も咲け〱、明日も咲け。咲いたら咲いたで気がもめる。

## 流風《りゅうふう》

そよそよと伝わってくる微風。花の香りや音やひびきをかすかに乗せてくる風。

## 烈風《れっぷう》

烈しく吹く風。樹木の太い幹が揺れ、海上では波が高くなるほどの風をいう。

# 風のいろ



**赤風《あかかぜ》**　石川県鳳至郡《ふげし》穴水町《あなみず》で、西風が強く吹くと、海が赤く見えるところからいう。三重県鈴鹿市《すずか》でも、「**あかまにし**」という、やはり海の色が赤く見える強い西風が吹く。

**神風《かみかぜ》**　「**神風《かむかぜ》**」とも。神託によって吹き起こされるという風。「神風《かむかぜ》の」は「伊勢」に掛かる枕詞。敗色の濃い第二次大戦末期、「神風《かみかぜ》」と名付けられた特攻隊の一人乗り飛行機は敵艦に体当たりし、自爆攻撃を行った。

　神風の伊勢の国にもあらましを
　　なにしか来けむ君もあらなくに
　　　　大伯皇女《おほくのひめみこ》

「君」とは同母弟の大津皇子。謀反の罪で処刑された。

**恋風《こいかぜ》**　恋の切なさが身に染みるような風。

**香風《こうふう》**　花などに吹き寄せて香りを運ぶ風。

**好風《こうふう》**　快い風。好都合の風。

**業風《ごうふう》**　地獄に吹くとされる大暴風。悪の横行を風にたとえたもの。

**心合《こころあい》の風《かぜ》**　「心合い」と「あいの風」（三八頁参照）とを掛けた言葉。自分の心を察してくれる風。

**科戸《しなと》の風《かぜ》**　いっさいの罪やけがれを吹きはらってくれる風。「しなと」の「し」は風、「な」は助詞の「の」、「と」は場所の意で、風の起こる場所を表す。『日本書紀』の記述によると、イザナギノミコトの吹きはらう気《いき》が「級長戸《しなと》辺命《べのみこと》」となり、この神が風の神とされている。「科戸の風」は神風であろう。

**雌風**《しふう》

一時代前の風の名前で、湿気の多い不愉快な風をいう。今はめそめそしている女性は少なくなったので、こんなふうに侮《あなど》られはしないだろう。一方「雄風《ゆうふう》」は大枝が揺れるくらいの大風である。

**湿風**《しっぷう》

雨気を含んで湿っぽい風。

**瑞風**《ずいふう》

吉兆を表す、めでたい風。「祥風《しょうふう》」と同意。

**凄凄**《せいせい》

涼しい風のこと。

**腥風**《せいふう》

なまぐさい風。殺伐とした風。

**凄風**《せいふう》

不気味で、すさまじい風。

**天狗風**《てんぐかぜ》

にわかに高みから吹き下ろす不気味な旋風のこと。

**便風**《びんぷう》

好都合な風。追い風、順風のこと。

**魔風**《まかぜ》

「まふう」ともいい、悪魔が吹かせる風。誘《おび》き寄せられそうになる恐ろしい風。

**無常風**《むじょうのかぜ》

「無常風《つねなきかぜ》」ともいい、花を吹き散らしてしまう風。命を奪う世の無常を風にたとえたもの。

# 風の族《うから》

港や干潟、砂浜を歩くと、小鳥たちがほとんど同一方向を向いているのを見ることができる。あれは風に向かって踏み止《とど》まっているのである。

強い風のとき、人は身をちぢこめたり、背中を向けてしまうものだが、それに較《くら》べて鳥たちのあの胸を張った立派な姿勢はどうだ。飛び立つときも風に向かって羽ばたくようだ。流されるのを警戒しているのだろうか。流され風に乗るのと流されるのとは違う。鳥たちはそれを厳しく峻別《しゅんべつ》しているにちがいない。

鳥には風の道が見えるのだが、私たちにはそのような器官はそなわっていない。何かはためいているものとか、草木の揺れ方などで見当をつける。何もない場合は、水や唾液《だえき》でぬらした指

で天を指し、回転させる。冷たく感じられる方から風は吹いている。

　鳥は風の族である。昆虫、コウモリ、雲、花の種、花粉、綿毛などもそうだ。小蜘蛛《こぐも》も尻《しり》から銀色の糸を出し、風になびかせて、移動するそうである。

ふたひらのわが〈土踏まず〉
土を踏まず風のみ踏みてあり
たかりしを　　　斎藤　史《ふみ》

　これが人の嘆きである。そして風と風の族への讃歌である。

# 風の名前 索引

## 春の風

【あ行】
朝東風（あさごち）……〇一五
油まじ（あぶらまじ）……〇〇八
雨東風（あめごち）……〇一五
荒東風（あらごち）……〇一五
いなだ東風（いなだごち）……〇一五
岩起（いわおこし）……〇〇八
梅東風（うめごち）……〇一五
嬰児風（えいじふう）……〇〇八
【か行】
凱風（がいふう）……〇〇九
貝寄風（かいよせ）……〇〇九
花信風（かしんふう）……〇一〇
花風（かふう）……〇一〇
和風（かふう）……〇一〇
北東風（きたごち）……〇一五
協風（きょうふう）……〇一〇
黒北風（くろぎた）……〇一〇
軽風（けいふう）……〇一〇
光風（こうふう）……〇一四
弘法東風（こうぼうごち）……〇一五
穀風（こくふう）……〇一四
東風（こち）……〇一五
東風返し（こちのかえし）……〇一六
【さ行】
桜東風（さくらごち）……〇一五
鮭東風（さけごち）……〇一五
鰆東風（さわらごち）……〇一五
鹿の角落とし（しかのつのおとし）……〇一六
したけ……〇一六
春飆（しゅんぴょう）……〇一六
吹花擘柳（すいかはくりゅう）……〇一七
清風（せいふう）……〇一七
清明風（せいめいふう）……〇一七
節の西風（せつのにしかぜ）……〇一七
【た行】
暖風（だんぷう）……〇二一
椿東風（つばきごち）……〇一五
強東風（つよごち）……〇一五
東尋坊（とうじんぼう）……〇二一
不通坊（とおせんぼう）……〇二一
【な行】
菜種梅雨（なたねづゆ）……〇二一
二十四番花信風（にじゅうしばんかしんふう）……〇一三
涅槃西風（ねはんにし）……〇二六
【は行】
霾風（ばいふう）……〇二六
梅風（ばいふう）……〇二六
花風（はなかぜ）……〇二七
花の下風（はなのしたかぜ）……〇二七
花の風巻（はなのしまき）……〇二七
花吹雪（はなふぶき）……〇二七
春嵐（はるあらし）……〇二七
春一番（はるいちばん）……〇二八
春風（はるかぜ）……〇二八
春北風（はるきた）……〇二八
春疾風（はるはやて）……〇二九
雲雀東風（ひばりごち）……〇一五
微風（びふう）……〇二九
比良八荒（ひらはっこう）……〇二九
風炎（ふうえん）……〇三一
【ま行】
正東風（まごち）……〇一五
【や行】
夕東風（ゆうごち）……〇一五
雪解風（ゆきげかぜ）……〇三一
陽風（ようふう）……〇三一
【わ行】
和風（わふう）……〇三一

## 夏の風

【あ行】
あいの風（あいのかぜ）……〇三八
青嵐（あおあらし）……〇三八
青東風（あおごち）……〇三八
青田風（あおたかぜ）……〇四〇
あぶらまぜ……〇六三
荒南風（あらはえ）……〇五九
いなさ……〇四〇
炎飆（えんぴょう）……〇四一
炎風（えんぷう）……〇四一
大南風（おおみなみ）……〇四一

沖南風（おきばえ）……〇五九
送南風（おくれまじ）……〇六三
おしあな……〇四一
温風（おんぷう）……〇四五
【か行】
夏至南風（カーチベー）……〇五九
海軟風（かいなんぷう）……〇四五
荷風（かふう）……〇四五
神立（かんだち）……〇四五
乾風（かんぷう）……〇四五
下り（くだり）……〇四五
黒南風（くろはえ）……〇五九
薫風（くんぷう）……〇四八
景風（けいふう）……〇四八
黄雀風（こうじゃくふう）……〇四八
御祭風（ごさい）……〇四八
【さ行】
地あゆ（じあゆ）……〇三八
湿風（しっぷう）……〇四八
下総東風（しもさごち）……〇四八
菖蒲東風（しょうぶごち）……〇五二
白南風（しらはえ）……〇五九
新樹風（しんじゅふう）……〇五二
涼風（すずかぜ）……〇五二
【た行】
筍梅雨（たけのこづゆ）……〇五二
筍流し（たけのこながし）……〇五二
茅花流し（つばなながし）……〇五四
土用あい（どようあい）……〇三八
土用間（どようあい）……〇五四
土用東風（どようこち）……〇五四
【な行】
ながし……〇五五
ながし南風（ながしばえ）……〇五九
夏嵐（なつあらし）……〇五五
夏疾風（なつはやて）……〇五五
【は行】
南風（はえ）……〇五九
はえまぜ……〇六三
破帆風（ははんぷう）……〇六二
日方（ひかた）……〇六二
一つあゆ（ひとつあゆ）……〇三八
【ま行】
まあゆ……〇三八
まじ……〇六三
正南風（まはえ）……〇五九
麦嵐（むぎあらし）……〇六六
【や行】
山背風（やませ）……〇六六
羊頭風（ようとうふう）……〇六六
【ら行】
落梅風（らくばいふう）……〇六六
涼飆（りょうひょう）……〇六六
【わ行】
若葉風（わかばかぜ）……〇六六


## 秋の風


【あ行】
青北風（あおきた）……〇七五
青げたならい（あおげたならい）……〇七五
秋嵐（あきあらし）……〇七五
秋風（あきかぜ）……〇七五
秋の嵐（あきのあらし）……〇七八
秋の声（あきのこえ）……〇七八
秋の初風（あきのはつかぜ）……〇七八
芋嵐（いもあらし）……〇七九
色なき風（いろなきかぜ）……〇七九
浦西（うらにし）……〇七九
荻の風（おぎのかぜ）……〇八〇
送南風（おくりまぜ）……〇八〇
おしあな……〇八一
【か行】
雁渡（かりわたし）……〇八一
黍嵐（きびあらし）……〇八一
金風（きんぷう）……〇八一
【さ行】
鮭颪（さけおろし）……〇八四
秋声（しゅうせい）……〇八四
商風（しょうふう）……〇八四
【た行】
台風（たいふう）……〇八四
高西風（たかにし）……〇八九
【な行】
野分（のわき）……〇八九
【は行】
初秋風（はつあきかぜ）……〇九〇
初嵐（はつあらし）……〇九〇
鳩吹く風（はとふくかぜ）……〇九一
浜西（はまにし）……〇九一
悲風（ひふう）……〇九一
盆北（ぼんぎた）……〇九一
盆東風（ぼんごち）……〇九一
【ま行】
新北風（ミーニシ）……〇九一
【や行】
やまじ……〇九四
鷹風（ようふう）……〇九四
【ら行】
鯉魚風（りぎょふう）……〇九四
蓼風（りょうふう）……〇九四
裂葉風（れつようふう）……〇九四
【わ行】
わいた……〇九五

若狭（わかさ）……〇九五

## 冬の風

【あ行】
赤城颪（あかぎおろし）……一〇八
浅間颪（あさまおろし）……一〇八
愛宕颪（あたごおろし）……一〇八
あなじ……一〇三
伊吹颪（いぶきおろし）……一〇八
陰風（いんぷう）……一〇三
浦西（うらにし）……一〇三
【か行】
鎌風（かまかぜ）……一〇六
神渡し（かみわたし）……一〇六
空っ風（からっかぜ）……一〇六
寒風（かんぷう）……一〇六
北颪（きたおろし）……一〇八
北風（きたかぜ）……一一二
北山颪（きたやまおろし）……一〇八
勁風（けいふう）……一一二
厳風（げんぷう）……一一三
木枯らし（こがらし）……一一三
【さ行】
蔵王颪（ざおうおろし）……一〇九
朔風（さくふう）……一一三
浚風（さらいのかぜ）……一一七
篠の小吹雪（しののおふぶき）……一一七
風巻（しまき）……一一七
隙間風（すきまかぜ）……一一七
鈴鹿颪（すずかおろし）……一〇九
節東風（せちごち）……一一七
【た行】
玉風（たまかぜ）……一一八
筑波颪（つくばおろし）……一〇九
【な行】
那須颪（なすおろし）……一〇九
ならい……一一八
男体颪（なんたいおろし）……一〇九
【は行】
初東風（はつこち）……一一九
榛名颪（はるなおろし）……一〇九
比叡颪（ひえおろし）……一〇九
比良颪（ひらおろし）……一〇九
富士颪（ふじおろし）……一〇九
吹雪（ふぶき）……一一九
冬風（ふゆかぜ）……一一九
べっとう……一二三
星の出入り（ほしのでいり）……一二三
【ま行】
摩耶颪（まやおろし）……一〇九
三国颪（みくにおろし）……一〇九
【や行】
雪颪（ゆきおろし）……一二三
雪風（ゆきかぜ）……一二三
【ら行】
冷風（れいふう）……一二三
六甲颪（ろっこうおろし）……一〇九

## 季知らずの風

### 風の方位

【あ行】
戌亥（いぬい）……一三七
丑寅風（うしとらかぜ）……一三七
男風（おとこかぜ）……一三一
【か行】
北風（きた）……一三六
北打（きたうち）……一三七
北気（きたげ）……一三七
極風（きょくふう）……一三〇
巨風（きょふう）……一三四
恵風（けいふう）……一三四
広莫風（こうばくふう）……一三七
【さ行】
下り（さがり）……一三四
下り西（さがりにし）……一三四
地下り（じくだり）……一三五
しら……一三五
【た行】
泰風（たいふう）……一三一
つっぱがし……一三一
つなみ風（つなみかぜ）……一三五
滔風（とうふう）……一三〇
【な行】
南西風（なんせいふう）……一三五
南東風（なんとうふう）……一三六
西風（にしかぜ）……一三一
【は行】
八風（はちふう）……一三七
反対貿易風（はんたいぼうえきふう）……一三四
坂東太郎（ばんどうたろう）……一三〇
東風（ひがしかぜ）……一三〇
富士南（ふじみなみ）……一三六
偏西風（へんせいふう）……一三四
偏東風（へんとうふう）……一三〇
貿易風（ぼうえきふう）……一三〇
北西風（ほくせいふう）……一三七
北東風（ほくとうふう）……一三七
【ま行】
南風（みなみかぜ）……一三四

明庶風（めいしょふう）……一三〇
【や行】
やまじ……一三六


## 風の道

【あ行】
飛鳥風（あすかかぜ）……一四〇
天つ風（あまつかぜ）……一四〇
家風（いえかぜ）……一四〇
伊香保風（いかほかぜ）……一四〇
いせち……一四〇
磯松風（いそまつかぜ）……一四〇
井波風（いなみかぜ）……一四二
海風（うみかぜ）……一四一
浦風（うらかぜ）……一四一
上風（うわかぜ）……一四一
枝切風（えだきるかぜ）……一四一
追風（おいかぜ）……一四一
扇の風（おうぎのかぜ）……一四一
沖つ風（おきつかぜ）……一四一
生保内だし（おぼねだし）……一四二
祖風（おやかぜ）……一四一
颪（おろし）……一四一
オロマップ風（オロマップかぜ）……一四二
【か行】
海風（かいふう）……一四一
海陸風（かいりくふう）……一四一
反しの風（かえしのかぜ）……一四二
川風（かわかぜ）……一四二
河原風（かわらかぜ）……一四二
岸風（がんぷう）……一四二
逆風（ぎゃくふう）……一四二
局地風（きょくちふう）……一四二
葛の裏風（くずのうらかぜ）……一四三
高風（こうふう）……一四三
木の下風（このしたかぜ）……一四三
【さ行】
佐保風（さほかぜ）……一四三
潮追風（しおおいかぜ）……一四四
潮風（しおかぜ）……一四四
下風（したかぜ）……一四四
島風（しまかぜ）……一四四
順風（じゅんぷう）……一四四
松濤（しょうとう）……一四四
翔風（しょうふう）……一四四
信風（しんぷう）……一四四
水風（すいふう）……一四四
寿都だし（すっつだし）……一四二
関風（せきかぜ）……一四四
袖の羽風（そでのはかぜ）……一四四
【た行】
出風（だしかぜ）……一四五
谷風（たにかぜ）……一四五
昼夜風（ちゅうやかぜ）……一四五
天風（てんぷう）……一四五
十勝風（とかちかぜ）……一四二
床の秋風（とこのあきかぜ）……一四五
床の浦風（とこのうらかぜ）……一四五
【な行】
波風（なみかぜ）……一四五
鳰の浦風（におのうらかぜ）……一四五
沼風（ぬまかぜ）……一四五
嶺渡（ねわたし）……一四五
野風（のかぜ）……一四五
軒の下風（のきのしたかぜ）……一四五
【は行】
葉風（はかぜ）……一四六
羽風（はかぜ）……一四六
初瀬風（はつせのかぜ）……一四六
日高しも風（ひだかしもかぜ）……一四二
平野風（ひらのかぜ）……一四二
ビル風（ビルかぜ）……一四六
蘋風（ひんぷう）……一四六
不定風（ふていふう）……一四六
便所風（べんじょかぜ）……一四六
帆風（ほかぜ）……一四六
【ま行】
松風（まつかぜ）……一四六
まつぼり風（まつぼりかぜ）……一四二
三面だし（みおもてだし）……一四二
港風（みなとかぜ）……一四六
向風（むかいかぜ）……一四六
【や行】
矢風（やかぜ）……一四七
やまえだ……一四二
山風（やまかぜ）……一四七
やまじ風（やまじかぜ）……一四二
山谷風（やまたにかぜ）……一四七
横風（よこかぜ）……一四七
蓬生嵐（よもぎふあらし）……一四七
四方の嵐（よものあらし）……一四七
【ら行】
羅臼風（らうすかぜ）……一四二
陸風（りくふう）……一四七
凌風（りょうふう）……一四七
ルシャ風（ルシャかぜ）……一四二
【わ行】
わたくし風（わたくしかぜ）……一四二


## 風の時間

【あ行】
朝風（あさかぜ）……一五〇
雨風（あまかぜ）……一五〇
一陣の風（いちじんのかぜ）……一五一

【か行】
季節風（きせつふう）……一五一
急風（きゅうふう）……一五一
暁風（ぎょうふう）……一五一
【さ行】
小夜嵐（さよあらし）……一五二
疾風（しっぷう）……一五二
終風（しゅうふう）……一五二
少女風（しょうじょふう）……一五二
少男風（しょうだんふう）……一五二
衝風（しょうふう）……一五二
迅風（じんぷう）……一五二
【た行】
定期風（ていきふう）……一五二
時津風（ときつかぜ）……一五四
突風（とっぷう）……一五四
【は行】
はやて……一五四
晩風（ばんぷう）……一五四
飄風（ひょうふう）……一五四
日和風（ひよりかぜ）……一五五
【や行】
夕風（ゆうかぜ）……一五五
夜風（よかぜ）……一五五
余風（よふう）……一五五

## 大風小風

【あ行】
あからしまかぜ……一五八
悪風（あくふう）……一五八
嵐（あらし）……一五八
永祚風（えいそのかぜ）……一五八
大風（おおかぜ）……一五九
【か行】
回風（かいふう）……一五九
逆旋風（ぎゃくせんぷう）……一五九
狂飆（きょうひょう）……一五九
強風（きょうふう）……一五九
狂風（きょうふう）……一六一
驚風（きょうふう）……一六一
颶風（ぐふう）……一六一
荒風（こうふう）……一六一
小風（こかぜ）……一六一
黒風（こくふう）……一六一
【さ行】
風巻（しまき）……一六一
凄風（せいふう）……一六一
旋風（せんぷう）……一六一
颴風（せんぷう）……一六一
そよ風（そよかぜ）……一六一
【た行】
頽風（たいふう）……一六二
竜巻（たつまき）……一六二
【な行】
軟風（なんぷう）……一六二
難風（なんぷう）……一六二
【は行】
微風（びふう）……一六二
毘嵐婆（びらんば）……一六二
扶揺（ふよう）……一六二
暴風（ぼうふう）……一六二
【ま行】
盲風（もうふう）……一六二
【や行】
雄風（ゆうふう）……一六二
羊角（ようかく）……一六三
【ら行】
落風（らくふう）……一六三
流風（りゅうふう）……一六三
烈風（れっぷう）……一六三

## 風のいろ

【あ行】
赤風（あかかぜ）……一六四
【か行】
神風（かみかぜ）……一六四
恋風（こいかぜ）……一六四
香風（こうふう）……一六四
好風（こうふう）……一六四
業風（ごうふう）……一六四
心合の風（こころあいのかぜ）……一六四
【さ行】
湿風（しっぷう）……一六五
科戸の風（しなとのかぜ）……一六四
雌風（しふう）……一六五
瑞風（ずいふう）……一六五
凄凄（せいせい）……一六五
腥風（せいふう）……一六五
凄風（せいふう）……一六五
【た行】
天狗風（てんぐかぜ）……一六五
【は行】
便風（びんぷう）……一六五
【ま行】
魔風（まかぜ）……一六五
無常風（むじょうのかぜ）……一六五

# 参考文献


「日本国語大辞典」（小学館）
「大辞泉」（小学館）
「広辞苑」（岩波書店）
「逆引き広辞苑」（岩波書店）
「大漢和辞典」諸橋轍次（大修館書店）
「字通」白川静（平凡社）
「日本類語大辞典」（講談社）
「日本大百科全書」（小学館）
「日本方言大辞典」（小学館）
「標準語で引く方言小辞典」倉持保男編（東京堂出版）
「風の事典」関口武（原書房）
「気象の事典」（東京堂出版）
「大歳時記」（集英社）
「ホトトギス新歳時記」稲畑汀子編（三省堂）
「最新俳句歳時記」山本健吉編著（文藝春秋）
「新版　季寄せ」角川書店編（角川書店）
「増補　俳諧歳時記栞草」上・下（岩波文庫）
「季語深耕〔風〕」小熊一人（角川選書）
「ちょっと使えるお天気知識」倉嶋厚（小学館文庫）
「露伴全集」第四十巻所収「水上語彙」（岩波書店）
「定本　柳田國男集」第二十巻所収「風位考」（筑摩書房）
「風の世界」吉野正敏（東京大学出版会）
「風の文化誌」市川健夫（雄山閣出版）
「雨風博士の遠めがね――お天気不思議ものがたり」森田正光（新潮社）
「風・船のじてん」荒川博・半藤一利（蒼洋社）


装画
春の風『笹舟（部分）』石川県珠洲市・臥龍山西勝寺蔵
夏の風『月取り（部分）』長野県軽井沢町・個人蔵
秋の風『月取り（部分）』長野県軽井沢町・個人蔵
冬の風『姥捨（部分）』神奈川県・個人蔵
季しらずの風『風招（部分）』書き下ろし

# 順風満帆

どんな人にも忘れられない古里の風があるに相違ない。私にもいくつかあって、海辺の湿気とともにその名を記憶しているが、漢字も分からないし、語源もさだかではない。風の名前も風化して忘れられていくだろうが、それも風らしくていいと思いながら、一方で、いま分かっている名前をたずねるだけでも、じかにこの国の人びとの暮らしの息吹が感じられるのではないかと思った。

本書の記述は、参考文献として掲げた辞典類に負うところが多いが、じっさいに人びとが使い、耳にした風の名前を収集・分類した関口武氏の労作『風の事典』の恩恵を受けたことを記し、感謝したい。同書によれば、この国には二一四五の風の名前があるという。

風の情緒をうつしとった写真家の佐藤秀明さん、編集の鍋倉孝二郎さん、資料集め・校閲の労をとってくださった石田真理さん、おかげで前著『雨の名前』のときと同様、順風の中で仕事ができました。

（高橋順子）

**高橋順子《たかはしじゅんこ》**
詩人。「歴程」同人。
一九四四年、千葉県に生まれる。東京大学仏文学科卒。出版社勤務を経て、法政大学日本文学科非常勤講師。
著書に詩集『幸福な葉っぱ』（現代詩花椿賞受賞・書肆山田）、『時の雨』（読売文学賞受賞・青土社）、『高橋順子詩集』（思潮社／芸林書房）、評論『連句のたのしみ』『富小路禎子』（ともに新潮社）、エッセイ集『けったいな連れ合い』（PHP研究所）、『雨の名前』（共著・小学館）などがある。

# 少年捕風

風を探しながら、まるで風のようにふらふらと日本中を歩いて風を撮って来た。

こんな旅を一度はやってみたいと思っていたのでとても幸せな一年だった。また、過去に撮った写真の中から風を探す作業も楽しいものだった。

その中で風を撮ることも、風を探すことも心の持ち方が大切なのだということもわかった。

現象としての風を撮ることはたやすい。例えば風に舞う花びらのようなシーンだ。しかし視野の中で過去から吹いて来る風を感じることがあって、そんな時は限りなく少年の心に戻ることが出来るかどうかが大切だ。

カメラのファインダーを覗きながら、そんな風をそっと探してみる。なんとなくカビくさい風が〝ソヨッ〟と来たら静かにシャッターを切る。そこに写っているモノはまぎれもなく〝風〟である。そして、そんな風にいつまでも吹かれていたいと願う。


（佐藤秀明）

**佐藤秀明《さとうひであき》**
写真家。日本写真家協会会員。一九四三年、新潟県に生まれる。日本大学芸術学部写真学科を卒業の後、フリーのカメラマンになる。北極、チベット、アフリカ、南洋諸島など、世界各地の人間とその生活・自然をテーマに多くの作品を発表している。著書に『北極』（情報センター出版局）、『口笛と辺境』（早川書房）、『秘境マルケサス諸島』（共著・平凡社）、『雨の名前』（共著・小学館）など多数。

# 風の名前


二〇〇二年五月二〇日　初版第一刷発行
二〇二一年四月一七日　第九刷発行

著　者　高橋順子
　　　　佐藤秀明
発行者　飯田昌宏
発行所　株式会社小学館
〒一〇一-八〇〇一　東京都千代田区一ツ橋二-三-一
電　話　編集〇三-三二三〇-五九五九
　　　　販売〇三-五二八一-三五五五
インターネット　http://www.shogakukan.co.jp
印　刷　文唱堂印刷株式会社



ISBN4-09-681432-6 Shogakukan, Inc.

編集・造本・装幀・装画　鍋倉孝二郎
資料収集・校閲　石田真理
ＤＴＰ　矢田典雅（クリエイティブ・サノ・ジャパン）
写真提供　ＰＰＳ通信社